D1621976

PERGAMON OXFORD RUSSIAN SERIES
General Editor: C. V. JAMES

CONCISE RUSSIAN – ENGLISH
SCIENTIFIC DICTIONARY

CONCISE
RUSSIAN – ENGLISH
SCIENTIFIC DICTIONARY

For Students and Research Workers
3,250 entries

ALEXANDER BLUM, Ph.D.

Senior Lecturer in Russian at Ealing Technical College and
Visiting Lecturer in Russian at Imperial College
University of London

PERGAMON PRESS

OXFORD · LONDON · EDINBURGH · NEW YORK
PARIS · FRANKFURT

Pergamon Press Ltd., Headington Hill Hall, Oxford
4 & 5 Fitzroy Square, London W.1

Pergamon Press (Scotland) Ltd., 2 & 3 Teviot Place, Edinburgh 1

Pergamon Press Inc., 122 East 55th Street, New York 22, N.Y.

Pergamon Press GmbH, Kaiserstrasse 75, Frankfurt-am-Main

Federal Publications Ltd., Times House, River Valley Road, Singapore

Samcax Book Services Ltd., Queensway, P.O. Box 2720, Nairobi, Kenya

Set in 9 pt Plantin
and printed in Great Britain
by Billing and Sons Ltd., Guildford and London

(2138)

CONTENTS

EDITOR'S PREFACE

THIS concise dictionary is designed to provide students of Russian with a cheap, compact vocabulary of the most commonly used words they will encounter when reading popular scientific articles in the main fields of science in Russian. It has been compiled over a number of years teaching at various levels, and with close attention to the word counts published by American bodies. Popular science readers and textbooks published in Great Britain, the United States, Poland and the Soviet Union have all been consulted: we believe that the book represents the first attempt made in Great Britain to compile a minimum Russian-English scientific vocabulary of this type.

The value of the dictionary to English-speaking students has been much increased by the inclusion of three appendixes, including a summary of grammatical forms, a list of the most commonly used abbreviations and a bibliography. It is suitable for use by Sixth Formers, students at Technical College and at University, and scientists wishing to learn sufficient Russian to enable them to read Soviet scientific journals in the original.

Sussex, 1965   C. V. JAMES

ABBREVIATIONS USED

a. adjective
abbr. abbreviation
acc. accusative case
adv. adverb
cf. compare
cj. conjunction
colloq. colloquial
comp. comparative degree
dat. dative case
f. feminine
fut. future
gen. genitive case
I imperfective aspect
imp. imperative
impers. impersonal
inf. infinitive
instr. instrumental case
intrans. intransitive
m. masculine
math. mathematics
n. neuter

neg. negative
nom. nominative case
num. numerical
ord. ordinal
P perfective aspect
p. past
part. participle
partic. particle
parenth. used parenthetically
pers. personal
phys. physics
pl. plural
ppp. past passive participle
pred. used predicatively
prep. preposition
pr. prepositional case
pres. present
pron. pronoun
sh. short form
sing. singular
superl. superlative degree

а *cj.* and, but (*mild*)

аберра́ция, -и *f.* aberration

абза́ц, -а *m.* indention, paragraph

абсолю́тный *a.* absolute

   sh. абсолю́тен, абсолю́тна, -о, -ы

абстра́ктный *a.* abstract

а́вгуст, -а *m.* August

автома́т, -а *m.* automatic machine

автомати́ческий, ая, ое, ие *a.* automatic

автомоби́ль, -я *m.* automobile, car

а́втор, -а *m.* author

авторите́тный *a.* expert information

агрега́т, -а *m.* aggregate, assembly, unit, plant

адеква́тный *a.* adequate

адсо́рбция, -а *f.* adsorption

а́зимут, -а *m.* azimuth

азимута́льный *a.* azimuth

азо́т, -а *m.* nitrogen, N

азо́тный *a.* nitric

акаде́мик, -а *m.* academician

акаде́мия, -и *f.* academy

акт, -а *m.* act, action, report, event

акти́вность, -и *f.* activity

акти́вный *a.* active

актуа́льный *a.* actual

акусти́ческий, ая, ое, ие *a.* acoustical

а́лгебра, -ы *f.* algebra

алгебраи́ческий, ая, ое, ие *a.* algebraic

алифати́ческий, ая, ое, ие *a.* aliphatic

алкого́ль, -я *m.* alcohol

алма́з, -а *m.* diamond

алма́зный *a.* diamond

а́льфа-излуче́ние, я *n.* alpha radiation

а́льфа-распа́д, -а *m.* alpha disintegration

а́льфа-части́ца, -ы *f.* alpha particle

альтернати́ва, -ы *f.* alternative

алюми́ний, -я *m.* aluminium

алюми́ниевый *a.* aluminium

амальга́ма, -ы *f.* amalgam

амети́ст, -а *m.* amethyst

аммиа́к, -а *m.* ammonia, NH_3

амортиза́тор, -а *m.* damper, shock absorber

амо́рфный *a.* amorphous

   амо́рфное вещество́ amorphous matter (*substance*)

ампе́р, -а *m.* ampere

амплиту́да, -ы *f.* amplitude

а́мпула, -ы *f.* vial

ана́лиз, -а *m.* analysis, test

анализа́тор, -а *m.* analyser

анализи́ровать *I/P* проанализи́ровать analyse

   I анализи́рую, анализи́руешь

   p. анализи́ровал

   imp. анализи́руй!

   ppp. анализи́рованный

аналити́ческий, ая, ое, ие *a.* analytic

   аналити́ческая геоме́трия analytic geometry

   аналити́ческая хи́мия analytic chemistry

ана́лог, -а *m.* analogy

аналоги́чный *a.* analogous

анало́гия, -и *f.* analogy

анато́мия, -и *f.* anatomy

ангидри́д, -а *m.* anhydride

англи́йский, ая, ое, ие *a.* English

ано́д, -а *m.* anode

ано́дный *a.* anode

анома́лия, -и *f.* anomaly

анома́льный *a.* anomaly

анса́мбль, -я *m.* ensemble, team

анте́нна, -ы *f.* antenna, aerial

антраце́н, -а *m.* anthracine

аппара́т, -а *m.* device, instrument, apparatus, camera

аппара́тный *a.* apparatus, instrument

аппарату́ра, -ы *f.* apparatus, equipment, outfit

апре́ль, -я *m.* April

аргуме́нт, -а *m.* argument

арифме́тика, -и *f.* arithmetic

арифмети́ческий, ая, ое, ие *a.* arithmetical

асимметри́чный *a.* asymmetrical

асимметри́я, -и *f.* asymmetry

аспе́кт, -а *m.* aspect

ассоциа́ция, -и *f.* association

астигмати́зм, -а *m.* astigmatism

астрономи́ческий, ая, ое, яе *a.* astronomical

атмосфе́ра, -ы *f.* atmosphere

а́том, -а *m.* atom

а́томный *a.* (*or* ато́мный) atomic

ацета́т, -а *m.* acetate

аэродина́мика, -и *f.* aerodynamics

аэрона́вт, -а *m.* aeronaut

аэропла́н, -а *m.* aeroplane

аэропо́рт, -а *m.* airport
об аэропо́рте, в аэропорту́

ба́за, -ы *f.* base

ба́зовый *a.* base

бази́ровать *I* base
бази́рую, бази́руешь
p. бази́ровал
imp. бази́руй!

ба́зис, -а *m.* basis

бак, -а *m.* tank

бакте́рия, -и *f.* bacterium

бала́нс, -а *m.* balance

баланси́ровать *I/P* сбаланси́ровать
I баланси́рую, баланси́руешь
p. баланси́ровал, -ла balance, keep balance

ба́лка, -и *f.* beam, girder
gen. pl. ба́лок

бараба́н, -а *m.* drum

ба́рий, -я *m.* barium, Ba

ба́рит, -а *m.* barite, $BaSO_4$

барье́р, -а *m.* barrier

бассе́йн, -а *m.* basin, pool, reservoir

батаре́я, -и *f.* battery, dry pile

ба́шня, -и *f.* tower
ба́шня телеско́па tower of the telescope

бе́гать (*cf.* бежа́ть) run, travel
бе́гаю, бе́гаешь
p. бе́гал *imp.* бе́гай!

бе́дный *a.* poor, scanty

бежа́ть *I* run (*concrete movement in a definite direction*)

без *prep. with gen.* without

безво́дный *a.* anhydrous

безграни́чный *a.* infinite, boundless
sh. безграни́чен, безграни́чна, -о, -ы

безды́мный *a.* smokeless

безжи́зненый *a.* lifeless, dead, dull

беззвёздный *a.* starless

безопа́сность, -и *f.* safety, security

безопа́сный *a.* safety, safe
sh. безопа́сен, безопа́сна, -о, -ы

безразли́чный *a.* indifferent
sh. безразли́чен, безразли́чна, -о, -ы

безразме́рный *a.* dimensionless

безусло́вный *a.* absolute, unconditional

бело́к, белка́ *m.* white of the eye or egg, albumen, protein

бе́лый *a.* white
sh. бел, бела́, бе́ло/бело́, бе́лы/белы́

бензи́н, -а *m.* benzine, petrol

бе́рег, -а *m. pl.* берега́, -о́в bank, shore, coast
на берегу́

бери́ллиевый *a.* beryllium

бери́ллий, -я *m.* beryllium

бесконе́чность, -и *f.* infinity

бесконе́чный *a.* endless, interminable, eternal, infinite
sh. бесконе́чен, бесконе́чна, -о, ы

бесполе́зный *a.* useless
sh. бесполе́зен, бесполе́зна, -о, -ы

беспомощный *a.* helpless, impotent, feeble
  sh. беспомощен, беспомощна, о, -ы
беспорядок, беспорядка *m.* disorder, confusion
беспорядочный *a.* disorderly, confused, irregular
беспримерный *a.* unprecedented
беспроволочный *a.* wireless
бессмысленный *a.* meaningless, erratic, senseless
  sh. бессмыслен, бессмысленна, -о, -ы
бесцветный *a.* colourless
бесчисленный *a.* countless, innumerable
библиотека, -и *f.* library
билинейный *a.* bilinear
бимолекулярный *a.* bimolecular
бинарный *a.* binary
биолог, -а *m.* biologist
биология, -и *f.* biology
бить *I/P* **побить** beat, strike, break, thrash
  I бью, бьёшь
  p. бил *imp.* бей! *ppp.* битый
благодарить *I/P* **поблагодарить** thank
  I благодарю, -йшь
  p. благодарил
  imp. благодари!
благодаря *prep. with dat.* thanks to, owing to
благоприятный *a.* favourable
блеск, -а *m.* brilliance, lustre, glitter, gloss
ближайший, ая, ее, ие *a. superl.* of близкий next, immediate
ближе *comp. of* близкий *or comp. of* близко *adv.* nearer
близ *prep. with gen.* close to
близкий, ая, ое, ие *a.* near, close, intimate
  sh. близок, близка, близко, близки
близость, -и *f.* closeness, proximity, nearness, intimacy.

блок, -а *m.* section, block pulley
блуждающий, ая, ее, ие *part.* wandering
богатство, -а *n.* wealth, riches
богатый *a.* rich
бок, -а-у *m./pl.* бока, ов side of the body or object
  по бокам on both sides
  с боку на бок from one side to the other
  о боке *but* в боку/на боку
боковой *a.* lateral, side
  боковая полоса sideband (*radio*)
более *adv.* more (*used to form comparative, e.g.* более красивый)
болезнь, -и *f.* illness, disease
болеть *I/P* **заболеть** be ill, ache, hurt
  болею, болеешь *p.* болел
больше (*comp. of* много) more (*or comp. of* большой) bigger, greater, larger
большой *a.* big, large, great
бомбардировать *I* bombard
  бомбардирую, бомбардируешь
бомбардировка, -и *f.* bombardment
бор, а *m.* boron, B
бороться *I* fight, struggle
  борюсь, борешься *p.* боролся, боролась *imp.* борись!
борт-а *m./pl.* борта, -ов side, board
  за борт на борт, борт о борт, о борте *but* в борту & на борту
борьба, -ы *f.* fight, struggle
ботаник, -а *m.* botanist
ботаника, -и *f.* botany
бочка, -и *f.* barrel, cask
  gen. pl. бочек
брак, -а *m.* damaged or defective articles, rejected material, waste
брать *I/P* **взять** take
  I беру, берёшь
  p. брал, брала, брало, брали
  imp. бери!
  P возьму, возьмёшь
  p. взял, взяла
  imp. возьми!

бром, -а *m.* bromine, Br
бро́нзовый *a.* bronze
броса́ть *I/P* бро́сить throw, abandon, desert
  I броса́ю, броса́ешь
    p. броса́л *imp.* броса́й!
  P бро́шу, бро́сишь
    p. бро́сил *imp.* брось!
    ppp. бро́шенный
бу́дто *cj.* as if, as though
бу́дучи (*gerund from* быть—*to be*) being, while . . . was
бу́дущее, -его *n.* future (*as noun*)
бу́дущий, ая, ее, ие *a.* future, next to be
бу́ква, -ы *f.* letter (*of alphabet*)
бума́га, -и *f.* paper
бума́жный *a.* paper
бур, -а *m.* drill, borer
бу́рный *a.* stormy, turbid
бу́рый *a.* dark brown
бу́ря, -и *f.* storm
буты́лка, -и *f.* bottle
бу́фер, -а *m. pl.* -á buffer
быва́ть *I* happen, occur, be sometimes present, visit
  быва́ю, быва́ешь *p.* быва́л
бы́вший *a.* former, late, ex
бы́стрый *a.* quick, rapid, swift
  sh. быстр, быстра́, бы́стро, бы́стры
быт, -а *m.* mode of life, daily life
  о бы́те, в быту́
быть *I* be
  есть is/are
  p. был, была́, бы́ло, бы́ли
  fut. бу́ду, бу́дешь *imp.* будь!

в in, to, into, at (*with acc. motion, with loc. location*)
ва́жность, -и *f.* substance
ва́жный *a.* important
  sh. ва́жен, важна́, ва́жно, ва́жны *or* важны́
вазели́н, -а *m.* vaseline
вака́нтный *a.* vacant
ва́куум, -а *m.* vacuum, void
ва́куумный *a.* vacuum

вал, -а *m.* beam, shaft
вале́нтность, -и *f.* valency
вале́нтный *a.* valency
вана́дий, -я *m.* vanadium
ва́нна, -ы *f.* bath
вариа́нт, -а *m.* variant
вариацио́нный *a.* variant, variable
вариа́ция, -я *f.* variation
вари́ть *I/P* свари́ть boil, found
  I варю́, ва́ришь
    p. вари́л
    imp. вари́!
    ppp. ва́ренный
ва́та, -ы *f.* cotton wool
ваш, ва́ша, ва́ше *pl.* ва́ши *pron.* your, yours
введе́ние, -я *n.* introduction, preface
ввезти́ *see* ввози́ть
вверх *adv.* upwards
ввести́ *see* вводи́ть
ввиду́ *prep. with gen.* in view of, as, since
  ввиду́ того́ что . . . in view of the fact that . . .
вводи́ть *I/P* ввести́ introduce, bring in
  I ввожу́, вво́дишь
    p. вводи́л *imp.* вводи́!
  P введу́, введёшь
    p. ввёл, ввела́
    imp. введи́!
    ppp. введённый
ввози́ть *I/P* ввезти́ import
  I ввожу́, вво́зишь
    p. ввози́л *imp.* ввози́!
  P ввезу́, ввезёшь
    p. ввёз, ввезла́ *imp.* ввези́!
ввысь *adv.* up, upwards
вглубь *adv.* depthwise, deep (into)
вдали́ *adv.* in the distance, far from
вдво́е *adv.* double, twice, in two
вдоль *adv.* lengthways, along in length *prep. with gen.* along
вдохну́ть *see* вдыха́ть
вдруг *adv.* suddenly
вду́маться *see* вду́мываться

вду́мываться *I/P* **вду́маться** ponder, consider carefully
I вду́мываюсь, вду́мываешься
P вду́маюсь, вду́маешься
p. вду́мался, вду́малась
imp. вду́майся!

вдыха́ть *I/P* **вдохну́ть** inhale, breath in
I вдыха́ю, вдыха́ешь
P вдохну́, вдохнёшь
p. вдохну́л *imp.* вдохни́!

ведь *partic.* but, indeed

везде́ *adv.* everywhere

век, -а/у *m.* age, century
pl. века́ *gen.* веко́в

ве́ктор, -а *m.* vector

вели́кий, ая, ое, ие *a.* great, important
sh. вели́к, велика́
вели́ко/велико́, вели́ки/велики́

величина́, -ы́ *f./pl.* величи́ны, величи́н, величи́нам size, value, quantity, magnitude

ве́рный *a.* correct, true, right, faithful, loyal
sh. ве́рен, верна́, ве́рно, ве́рны & верны́

вероя́тный *a.* probable, likely
sh. вероя́тен, вероя́тна, -о, -ы

вертика́льный *a.* vertical
sh. вертика́лен, вертика́льна, -о, -ы

вертолёт, -а *m.* helicopter

ве́рхний *a.* upper

верши́на, -ы *f.* top, summit, peak, vertex

вес, -а/у *m.* weight
pl. весы́ balance, scales
pl. веса́ weights

ве́ский, ая, ое, ие *a.* weighty
sh. ве́сок, ве́ска, -о, -и

весна́, -ы́ *f.* spring *pl.* вёсны, вёсен, вёснам

вести́ *I/P* **повести́** come, action in a definite direction, lead, conduct, direct, run, drive
I веду́, ведёшь
p. вёл, вела́ *imp.* веди́!

весь, вся, всё *pron. gen.* всего́, всей
pl. все whole, all

весьма́ *adv.* highly, greatly, rather

ве́тер, -а *m.* wind
pl. ве́тры, ветро́в

ве́чер, -а *m.* evening

вещество́, -а́ *n.* matter, substance
pl. вещества́, веще́ств

вещь, -и *f.* thing, belongings

взаи́мный *a.* mutual, reciprocal
sh. взаи́мен, взаи́мна, -о, -ы

взаимоде́йствие, -я *n.* interaction, co-operation

взаимоотноше́ние, -я *n.* inter-relation, relation

взаимосвя́зь, -и *f.* interconnection, coupling, correlation, interdependence

взве́сить *see* взве́шивать

взвесь, -и *f.* suspension (*in liquid*)

взве́шивать *I/P* **взве́сить** weigh
I взве́шиваю, -ешь
P взве́шу, взве́сишь
p. взве́сил *imp.* взве́сь!
ppp. взве́шенный

взгля́д, -а *m.* look, glance, gaze, view, opinion

взорва́ть *see* взрыва́ть

взрыв, -а *m.* explosion, blast, burst

взрыва́тель, -я *m.* fuse

взрыва́ть *I/P* **взорва́ть** blow up, explode, blast
I взрыва́ю, -а́ешь
P взорву́, взорвёшь
p. взорва́л *imp.* взорви́!
ppp. взо́рванный

взры́вчатый *a.* explosive

взять *see* брать to take

вибра́тор, -а *m.* vibrator, oscillator

вид, -а/у *m./pl.* ви́ды, ви́дов appearance, look, aspect, new form, kind, species

ви́деть *I/P* **уви́деть**
I ви́жу, ви́дишь *p.* ви́дел
ppp. уви́денный

ви́дный *a.* visible, seen, conspicuous, noticeable, prominent визи́р, -а *m.* sight, indicator

ви́лка, -и *f./pl.* ви́лки, ви́лок fork, two-pin electric plug

винт, -а *m./pl.* винты́, винто́в screw, propellor

винтово́й *a.* screw, spiral

ви́смут, -а *m.* bismuth

витами́н, -а *m.* vitamin

вито́к, внтка́ *m.* turn, helix, coil

вихрь, -я *m.* vortex, curl

вклад, -а *m.* contribution

вкла́дывать *I/P* вложи́ть insert
  I вкла́дываю, -аешь
  P вложу́, вло́жишь
  p. вложи́л *imp.* вложи́!
  ppp. вло́женный

вкле́йка, -и *f.* inset
  gen. pl. вкле́ек

включа́ть *I/P* включи́ть include, insert, engage, switch on
  I включа́ю, -аешь
  P включу́, включи́шь
  p. включи́л
  imp. включи́!
  ppp. включённый

включе́ние, -я *n.* inclusion, switching on

включи́ть *see* включа́ть

вкус, -а/у *m.* taste

вла́га, -и *f.* moisture

вла́жность, -и *f.* humidity

власть, -и *f.* power, authority

вле́чь *I* drawn, attract
  влеку́, влечёшь
  p. влёк, влекла́
  ppp. влечённый

вливать *I/P* вли́ть pour in
  I вливаю, -аешь
  P волью́, вольёшь
  p. влил, влила́, вли́ло
  imp. влей! *ppp.* вли́тый

влия́ние, -я *n.* influence

влия́ть *I/P* повлия́ть influence, affect
  I влия́ю, -яешь

вложи́ть *see* вкла́дывать

вме́сте *adv.* together

вмести́мость, -и *f.* capacity

вме́сто *prep. with gen.* instead of, in place of

вмеша́ться *see* вме́шиваться

вме́шиваться *I/P* вмеша́ться interfere, intervene
  I вме́шиваюсь, вме́шиваешься
  P вмеша́юсь, вмеша́ешься

вмеща́ть *I/P* вмести́ть hold, contain, accommodate
  I вмеща́ю, -аешь
  P вмещу́, вмести́шь
  p. вмести́л
  ppp. вмещённый

внача́ле *adv.* at first, in the beginning

вне *prep. with gen.* outside, out of

внедре́ние, -я *n.* introduction, intrusion

внедри́ть *see* внедря́ть

внедря́ть *I/P* внедри́ть introduce, inculcate, instil
  I внедря́ю, -яешь
  P внедрю́, внедри́шь
  p. внедри́л *imp.* внедри́!
  ppp. внедрённый

вне́шний *a.* outward, external, foreign

вниз *adv.* down, downwards, below

внизу́ *adv.* below, downstairs

внизу *prep. with gen.* at the bottom of, at the foot of

внима́ние, -я *n.* attention

вно́вь *adv.* anew, again, newly, recently.

вноси́ть *I/P* внести́ bring in, carry in
  I вношу́, вно́сишь
  p. вноси́л *imp.* вноси́!
  P внесу́, внесёшь
  p. внёс, внесла́ *imp.* внеси́!
  ppp. внесённый

вну́тренний, яя, ее, ие *a.* inside, internal, inner

внутри́ *adv.* inside

внутри́ *prep. with gen.* inside, within, in

внутриа́томный *a.* intra-atomic

внутриядерный *a.* intra-nuclear

вода, -ы *f.* water *acc.* воду
pl. воды, вод

водный *a.* water, aqueous

водоём, -а *m.* reservoir

водонепроницаемый *a.* water-
tight

водопровод, -а *m.* water pipe,
water main

водород, -а *m.* hydrogen

водянистый *a.* watery

водяной *a.* water

возбудить *see* возбуждать

возбуждать *I/P* возбудить ex-
cite, arouse, provoke, induce
I возбуждаю, -аешь
P возбужу, возбудишь
p. возбудил *imp.* возбуди!
ppp. возбуждённый

возбуждение, -я *n.* excitation,
excitement, agitation

возвращать *I/P* возвратить return, give back
I возвращаю, -аешь
P возвращу, возвратишь
p. возвратил *imp.* возврати!
ppp. возвращённый

возвращение, -я *n.* return, recur-
rence

воздействие, -я *n.* influence, force

воздух, -а *m.* air

воздушный *a.* air

возможность, -и *f.* possibility

возможный *a.* possible
sh. возможен, возможна, -о, -ы

возникать *I/P* возникнуть arise,
spring up, appear
I возникает
P возникнет
p. возник, возникла

возникновение, -я *n.* origin, beginning, rise

возраст, -а *m.* age

возрастать *I/P* возрасти increase, grow
I возрастает
P возрастёт
p. возрос, возросла

война, -ы *f. pl.* войны, войн,
войнам war

войти *see* входить

вокруг *prep. with gen. & adv.*
around, round

волна, -ы *f.* wave *pl.* волны,
волн, волнам/волнам,
волнами/волнами-, волнах/
волнах

волнение, -я *n.* agitation

волнистый *a.* wavy

волновой *a.* wave

волокно, -а *n.* fibre *pl.* воло-
кна, волокон, волокнам

волос, -а *m.* hair *pl.* волосы,
волос, волосам

вольт, -а *m.* volt
gen. pl. вольт

вольфрам, -а *m.* wolfram, tung-
sten

воля, -и *f.* will, liberty

вообще *adv.* in general, generally,
on all occasions

вооружать *I/P* вооружить arm,
equip
I вооружаю, -аешь
P вооружу, вооружишь
p. вооружил
imp. вооружи!
ppp. вооружённый

воплотить *see* воплощать

воплощать *I/P* воплотить in-
carnate, embody
I воплощаю, -аешь
P воплощу, воплотишь
p. воплотил
imp. воплоти!
ppp. воплощённый

вопрос, -а *m.* question, problem

воронка, -и *f.* funnel, crater
gen. pl. воронок

восклицание, -я *n.* exclamation

воскресение, -я *n.* resurrection,
revival

воскресенье, -я *n.* Sunday

воспользоваться *P/I* пользова-
ться avail oneself

воспринима́ть *I/P* восприня́ть/
воспри́ть perceive, appre-
hend, absorb
I воспринима́ю, -а́ешь
P восприму́, воспри́мешь
p. восприня́л, восприняла́,
восприня́ло
imp. восприми́!
ppp. воспри́нятый
воспроизвести́ *see* воспроизводи́ть
воспроизводи́ть *I/P* воспроизве-
сти́ reproduce
I воспроизвожу́, воспроизво́-
дишь
P воспроизведу́, воспроизведёшь
p. воспроизвёл, -ела́
imp. воспроизведи́!
ppp. воспроизведённый
восстана́вливать *I/P* восстано-
ви́ть rehabilitate, restore, reduce (*chem.*)
I восстана́вливаю, -а́ешь
P восстановлю́, восстано́вишь
p. восстанови́л
imp. восстанови́!
ppp. восстано́вленный
восто́к, -а *m.* east
восхо́д, -а *m.* rising
впервы́е *adv.* for the first time
вперёд *adv.* forward
впереди́ *adv. & prep. with gen.* in
front of
впечатле́ние, -я *n.* impression
вполне́ *adv.* quite, fully
впосле́дствии *adv.* afterwards,
later on
впра́во *adv.* to the right
впро́чем *cj.* however, but, never-
theless
враг, -а́ *m.* enemy, opponent
врач, -а́ *m.* physician, doctor
враща́ть *I* revolve, rotate, turn
враща́ю, -а́ешь
враще́ние, -я *n.* rotation, revolution
вре́дный *a.* harmful, noxious
sh. вре́ден, вредна́, вре́дно,
вре́дны/вредны́

вре́мя, вре́мени *n.* time
pl. времена́, времён, времена́м
вро́де *prep. with gen.* like, such as
вряд *partic.* hardly, scarcely
всегда́ *adv.* always
всевозмо́жный *a.* all possible,
various
вселе́нная, -ой *f.* universe
всеми́рный *a.* world, world-wide
всенаро́дный *a.* national, nation-
wide
sh. всенаро́ден, всенаро́дна, -о, -ы
всео́бщий, ая, ее, ие *a.* general,
universal
всесою́зный *a.* all-union
вско́ре *adv.* soon, shortly (after)
всле́дствие *prep. with gen.* in consequence of, owing to
вспомина́ть *I/P* вспо́мнить recollect, recall, remember
I вспомина́ю, -а́ешь
P вспо́мню, вспо́мнишь
p. вспо́мнил *imp.* вспо́мни!
вспы́шка, -и *f.* flash, flare, blaze,
ignition, spark, outburst, explosion, detonation, fulmina-
tion, deflation
встава́ть *I/P* встать stand up,
rise, get up
I встаю́, встаёшь *p.* встава́л
P вста́ну, вста́нешь
p. встал *imp.* встань!
вставля́ть *see* вставля́ть
вставля́ть *I/P* вста́вить put in,
fix in
I вставля́ю/-я́ешь,
P вста́влю, вста́вишь
p. вста́вил *imp.* вставь!
ppp. вста́вленный
встать *see* вставать
встре́тить *see* встреча́ть
встре́ча, -и *f.* meeting, reception
встреча́ть *I/P* встре́тить meet,
receive, come across
I встреча́ю, а́ешь,
P встре́чу, встре́тишь
p. встре́тил *imp.* встреть!
ppp. встре́ченный

вступа́ть *I/P* вступи́ть enter, join
  I вступа́ю, вступа́ешь
  P вступлю́, всту́пишь
  p. вступи́л *imp.* вступи́!
вся́кий, ая, ое, ие *pron.* any, every, all kinds
вто́рник, -а *m.* Tuesday
второ́й *num.* second
втро́е *adv.* threefold, three times
вулка́н, -а *m.* volcano
вход, -а *m.* entrance
входи́ть *I/P* войти́ enter, go in
  I вхожу́, вхо́дишь
  p. входи́л *imp.* входи́!
  P войду́, войдёшь
  p. вошёл, вошла́
  imp. войди́!
вчера́ *adv.* yesterday
вче́тверо *adv.* fourfold, four times
выбира́ть *I/P* вы́брать elect, select
  I выбира́ю, -а́ешь
  P вы́беру, вы́берешь
  p. вы́брал *imp.* вы́бери!
  ppp. вы́бранный
вы́бор, -а *m.* choice, alternative
выбра́сывать *I/P* вы́бросить cast ashore, throw out, reject
  I выбра́сываю, -аешь
  P вы́брошу, вы́бросишь
  p. вы́бросил *imp.* вы́брось!
  ppp. вы́брошенный
вы́бросить *see* выбра́сывать
вы́вод, -а *m.* conclusion, deduction
выводи́ть *I/P* вы́вести lead out, take out, help out
  I вывожу́, выво́дишь
  p. выводи́л *imp.* выводи́!
  P вы́веду, вы́ведешь
  p. вы́вел *imp.* вы́веди!
  ppp. вы́веденный
вывози́ть *I/P* вы́везти take out, export
  I вывожу́, выво́зишь
  p. вывози́л *imp.* вывози́!
  P вы́везу, вы́везешь
  p. вы́вез, -ла *imp.* вы́вези!
  ppp. вы́везенный

выгля́дывать *I/P* вы́глянуть look out, peep out
  I выгля́дываю, выгля́дываешь
  P вы́гляну, вы́глянешь
  p. вы́глянул *imp.* вы́гляни!
вы́годный *a.* advantageous, profitable
  sh. вы́годен, вы́годна, -о, -ы
выдвига́ть *I/P* вы́двинуть pull out, put forward, suggest
  I выдвига́ю, выдвига́ешь
  P вы́двину, вы́двинешь
  p. вы́двинул *imp.* вы́двини!
  ppp. вы́двинутый
вы́делить *see* выделя́ть
вы́делиться *see* выделя́ться
выделя́ть *I/P* вы́делить single out, evolve, give off, choose, mark out
  I выделя́ю, -я́ешь
  P вы́делю, вы́делишь
  p. вы́делил *imp.* вы́дели!
  ppp. вы́деленный
выделя́ться *I/P* вы́делиться stand out
вы́держать *see* выде́рживать
выде́рживать *I/P* вы́держать bear, sustain, endure
  I выде́рживаю, выде́рживаешь
  P вы́держу, вы́держишь
  p. вы́держал *imp.* вы́держи!
  ppp. вы́держанный
вы́держка, -и *f.* self-control, tenacity, endurance, *phot.* exposure
выезжа́ть *I/P* вы́ехать leave, go out
  I выезжа́ю, -а́ешь
  P вы́еду, вы́едешь
  p. вы́ехал
вы́звать *see* вызыва́ть
вызыва́ть *I/P* вы́звать call, challenge, summon
  I вызыва́ю, -а́ешь
  P вы́зову, вы́зовешь
  p. вы́звал *imp.* вы́зови!
  ppp. вы́званный
вы́йти *see* выходи́ть

вы́качать *see* выка́чивать
выка́чивание, -я *n.* pumping out
выка́чивать *I/P* вы́качать pump out
  I выка́чиваю, выка́чиваешь
  P вы́качаю, вы́качаешь
    p. вы́качал *ppp.* вы́качанный
выкла́дывать *I/P* вы́ложить take out, lay out
  I выкла́дываю, выкла́дываешь
  P вы́ложу, вы́ложишь
    p. вы́ложил *imp.* вы́ложи!
    ppp. вы́ложенный
выключа́тель, -я *m.* switch
выключа́ть *I/P* вы́ключитть switch off
  I выключа́ю, а́ешь
  P вы́ключу, вы́ключишь
    p. вы́ключил *imp.* вы́ключи!
    ppp. вы́ключенный
вылета́ть *I/P* вы́лететь start, leave (by air)
  I вылета́ю, -а́ешь
  P вы́лечу, вы́летишь
    p. вы́летел *imp.* вы́лети!
вылива́ться *I/P* вы́литься run out, pour out, overflow
  I вылива́ется
  P вы́льется
    p. вы́лился, вы́лилась
вы́литься *see* вылива́ться
вы́ложить *see* выкла́дывать
вы́мыть *see* мыть
вы́нести *see* выноси́ть
вынима́ть *I/P* вы́нуть take out, pull out
  I вынима́ю, -а́ешь
  P вы́ну, вы́нешь
    p. вы́нул *imp.* вынь!
    ppp. вы́нутый
выноси́ть *I/P* вы́нести carry out, take out, stand, endure
  I выношу́, выно́сишь
    p. выноси́л *imp.* выноси́!
  P вы́несу, вы́несешь
    p. вы́нес, вы́несла,
    imp. вы́неси!
    ppp. вы́несенный

вы́нуть *see* вынима́ть
выпада́ть *I/P* вы́пасть fall out
  I выпада́ю, -а́ешь
  P вы́паду, вы́падешь
    p. вы́пал *imp.* вы́пади!
выпаде́ние, -я *n.* falling out
выпа́ривание, -я *n.* evaporation
выпа́ривать *I/P* вы́парить evaporate, steam
  I выпа́риваю, -аешь
  P вы́парю, вы́паришь
    p. вы́парил
    ppp. вы́паренный
вы́полнить *see* выполня́ть
выполня́ть *I/P* вы́полнить carry out, fulfil, accomplish
  I выполня́ю, -я́ешь
  P вы́полню, вы́полнишь
    p. вы́полнил *imp.* вы́полни!
    ppp. вы́полненный
вы́пуклый *a.* salient, prominent, convex
выпуска́ть *I/P* вы́пустить let out, set free, turn out
  I выпуска́ю, -а́ешь
  P вы́пущу, вы́пустишь
    p. вы́пустил
    ppp. вы́пущенный
выраба́тывать *I/P* вы́работать produce, manufacture, make work out
  I выраба́тываю, -аешь
  P вы́работаю, вы́работаешь
    ppp. вы́работанный
выража́ть *I/P* вы́разить express
  I выража́ю, -а́ешь
  P вы́ражу, вы́разишь
    p. вы́разил *imp.* вы́рази!
    ppp. вы́раженный
выраже́ние, -я *n.* expression
вы́разить *see* выража́ть
выраста́ть *I/P* вы́расти grow, grow up, increase, arise
  I выраста́ю, -а́ешь
  P вы́расту, вы́растешь,
    p. вы́рос, вы́росла
    imp. вы́расти!
вы́рвать *see* вырыва́ть

вырыва́ть *I/P* вы́рвать tear out, pull out, snatch out
I вырыва́ю, -а́ешь
P вы́рву, вы́рвешь
p. вы́рвал *imp.* вы́рви!
ppp. вы́рванный
вы́сказать *see* выска́зывать
выска́зывать *I/P* вы́сказать
I выска́зываю, выска́зываешь
P вы́скажу, вы́скажешь
p. вы́сказал *imp.* вы́скажи!
ppp. вы́сказанный
вы́слать *see* высыла́ть
высо́кий, ая, ое, ие *a.* high, tall
sh. высо́к, высока́, высоко́/высо́ко, высо́ки/высоки́
высокока́чественный *a.* of high quality, high grade
высокомолекуля́рный *a.* high molecular
высокочасто́тный *a.* high frequency
высота́, -ы́ *f.* height
вы́ставка, -и *f.* exhibition
выстра́ивать *I/P* вы́строить build, erect
I выстра́иваю, выстра́иваешь
P вы́строю, вы́строишь
p. вы́строил *imp.* вы́строй!
ppp. вы́строенный
вы́строить *see* выстра́ивать
вы́ступ, -а *m.* protuberance, projection
выступа́ть *I/P* вы́ступить project, appear, speak at a meeting
I выступа́ю, -а́ешь
P вы́ступлю, вы́ступишь
p. вы́ступил *imp.* вы́ступи!
высчи́тывать *I/P* вы́считать calculate
I высчи́тываю, -аешь
P вы́считаю, вы́считаешь
p. вы́считал
imp. вы́считай!
ppp. вы́считанный
вы́сший ая, -ее, -ие *a. superl. of* высо́кий superior, higher, supreme

высыла́ть *I/P* вы́слать send, send out, expel
I высыла́ю, -а́ешь
P вы́шлю, вы́шлешь
p. вы́слал *imp.* вы́шли!
ppp. вы́сланный
вытека́ть *I/P* вы́течь run out, flow out, leak out
I вытека́ю, -а́ешь
P вы́теку, вы́течешь, вы́текут
p. вы́тек, вы́текла
вы́ход, -а *m.* exit, output
выходи́ть *I/P* вы́йти go out, leave, appear, run out
I выхожу́, выхо́дишь
P вы́йду, вы́йдешь
p. вы́шел, вы́шла
imp. вы́йди!
вы́честь *see* вычита́ть
вычисле́ние, -я *n.* calculation, computation
вычисли́тельный *a.* reckoning, computing
вы́числить *see* вычисля́ть
вычисля́ть *I/P* вы́числить calculate, compute
I вычисля́ю, -яешь
P вы́числю, вы́числишь
p. вы́числил *imp.* вы́числи!
ppp. вы́численный
вычита́ть *I/P* вы́честь deduct, subtract
I вычита́ю, -а́ешь
P вы́чту, вы́чтешь
p. вы́чел, вы́чла
imp. вы́чти!
ppp. вы́чтенный
вы́ше *a. comp. of* высо́кий high, higher
вы́ше *adv.* above, over
вы́яснить *see* выясня́ть
выясня́ть *I/P* вы́яснить find out, clear up, elucidate, explain
I выясня́ю, -яешь
P вы́ясню, вы́яснишь
p. вы́яснил,
imp. вы́ясни!
ppp. вы́ясненный

вя́зкий ая, ое, ие *a.* viscous, glutinous, tough
  sh. вя́зок, вязка́, вя́зко, вя́зки
вя́зкость, -и *f.* viscosity, toughness

г gram, year or town (грамм, год, го́род)
габари́т, -а *m.* size
газ, -а *m.* gas
га́зовый, *a.* gas
газообра́зный *a.* gaseous
газоотво́дный *a.* gas outlet, exhaust pipe
газоразря́дный *a.* gas discharge
гала́ктика, -и *f.* galaxy
гало́идныи *a.* halide
гальвани́ческий, -ая, -ое, ие *a.* galvanic
гаси́ть *I/P* погаси́ть put out a fire, turn off the gas, light
  I гашу́, га́сишь
  p. гаси́л *imp.* гаси́!
гаси́тель, -я *m.* quenching agent
га́уссовый *a.* gaussian *or* га́уссовский, ая, ое, ие, *a.*
га́фний, -я *m.* hafnium
гашёная и́звесть *f.* slaked lime, hydrated lime
гво́здь, -я *pl.* nail
где́ *adv.* where
гексагона́льный *a.* hexane
ге́лий, -я *m.* helium
генера́тор, -а *m.* generator, dynamo
генери́ровать *I* generate
  генери́рую, генери́руешь
  p. генери́ровал
генети́ческий *a.* genetic
географи́ческий, ая, ое, ие *a.* geographic
геогра́фия, -и *f.* geography
геоде́зия-и *f.* geodesy
геоло́гия, -и *f.* geology
геометри́ческий, ая, ое, ие *a.* geometrical
геоме́трия, -и *f.* geometry
геофи́зика, -и *f.* geophysics

геохи́мия, -и *f.* geochemistry
герма́ний -я *m.* germanium
герметИ́чный *a.* hermetic
герметИ́чность, -и *f.* hermeticity
герц, -а *m.* hertz, cycle
ги́бель, -и *f.* ruin, wreck, downfall, fall, death
ги́бкость, -и *f.* flexibility
ги́бнуть *I/P* поги́бнуть perish, be destroyed
  I ги́бну, ги́бнешь
  p. ги́бнул/гиб, ги́бла
  imp. ги́бни!
гига́нт, -а *m.* giant
  заво́д-гига́нт giant factory
гигие́на, -ы *f.* hygiene
гидравли́ческий, ая, ое, ие *a.* hydraulic
гидра́т, -а *m.* hydrate
ги́дродина́мика, -и *f.* hydrodynamics
ги́дродинами́ческий, ая, ое, ие *a.* hydrodynamic
гидроста́нция, -и *f.* hydro-electric power station
гидростати́ческий, ая, ое, ие *a.* hydrostatic
гиперзву́к, -а *m.* hypersonic
гиперпове́рхность, -и *m.* hypersurface
гиперфрагме́нт, -а *m.* hyperfragment
гипо́теза, -ы *f.* hypothesis
гипотети́ческий, ая, ое, ие *a.* hypothetical
гироско́п, -а *m. also* жироско́п gyroscope
гистоло́гия, -и *f.* histology
глава́, -ы́ *f.pl.* гла́вы, глав, гла́вам chapter, head
гла́вный *a.* principal, chief, main
гла́дкий, ая, ое, ие *a.* smooth, plain
  sh. гла́док, гладка́, гла́дко, гла́дки
глаз, -а *m. pl.* глаза́ *gen.* глаз eye
гли́на, -ы *f.* clay
глинозём, -а *m.* alumina

гли́няный *a.* clay, argillaceous
глицери́н, -а *m.* glycerin
глубина́, -ы́ *f.* depth
глубо́кий, ая, ое, ие *a.* deep
sh. глубо́к, глубока́, глубоко́/глубо́ко, глубоки́/глубо́ки
глы́ба, -ы *f.* block, lamp
гляде́ть *I/P* **погляде́ть** look, stare, see
I гляжу́, гляди́шь
p. гляде́л *imp.* гляди́!
гнать *I/P* **погна́ть** drive, urge, hurry
I гоню́, го́нишь
p. гнал, гнала́ *imp.* гони́!
гнездо́, -á *n.pl.* гнёзда, гнёзд nest, socket
гнить *I/P* **сгнить** rot, decay, putrefy
I гнию́, гниёшь
p. гнил, гнила́, гни́ло, гни́ли
говори́ть *I/P* **сказа́ть** speak, talk
I говорю́, говори́шь
p. говори́л *imp.* говори́!
P скажу́, ска́жешь
p. сказа́л *imp.* скажи́!
год, -а/у *m. pl.* го́ды/года́, годо́в year (*gen. pl.* лет)
о го́де about year в году́ in a year
го́лос, -а *m. pl.* голоса́, голосо́в voice, sound, vote
голубо́й *a.* light blue, sky-blue
го́лый *a.* naked, bare
sh. гол, гола́, го́ло, го́лы
гора́, -ы́ *f. acc.* го́ру *pl.* го́ры, гор mountain, hill
гора́здо *adv.* much, far (*with comp.*)
горе́лка, -и *f.* burner
горе́ть *I/P* **сгоре́ть** burn, shine, sparkle
I горю́, гори́шь
p. горе́л *imp.* гори́!
горизонта́льный *a.* horizontal
го́рло, -а *n.* throat
го́рный *a.* mountain, mining
го́рная поро́да mineral

го́род, -а *m.pl.* города́, городо́в town, city
го́рький, ая, ое, ие, *a.* bitter, miserable
sh. го́рек, горька́, го́рько, го́рьки
горю́чее, -его *n.* combustible, fuel (as noun)
горю́чий, ая, ее, ие *a.* combustible, inflammable
горя́чий, ая, ее, ие *a.* hot, ardent, fervent, heated
госпо́дствовать *I* rule, prevail, predominate
госпо́дствую, госпо́дствуешь
p. госпо́дствовал
imp. госпо́дствуй!
гость, -я *m.pl.* го́сти, госте́й guest, visitor, (*min.*) metasome
госуда́рственный, *a.* state, national
гото́вить *I/P* **приготовить** prepare, make ready, cook, make
гото́влю, гото́вишь
p. гото́вил *imp.* гото́вь!
гото́вый *a.* ready, prepared
гравита́ция, -и *f.* gravity, gravitation
гравитацио́нный *a.* gravitational
града́ция, -и *f.* calibration
градие́нт, -а *m.* gradient
градуи́ровать *I* calibrate
градуи́рую, -ешь
гра́дус, -а *m.* degree
гра́дусник, -а *m.* thermometer
граждани́н, -а *m.* citizen male
гражда́нка, -и female
pl. гра́ждане
грамм, -а *m.* gram(me)
грани́ца, -ы *f.* border, frontier
грани́т, -а *m.* granite
грани́чный *a.* frontier
грань, -и *f.* face, side, edge
графа́, -ы́ *f.* column
pl. гра́фы, граф, графа́м
гра́фик, -а *m.* graph, diagram, schedule
то́чно по гра́фику according to schedule

графи́т, -а *m.* graphite
гре́ть *I/P* **нагре́ть** warm, heat
 I гре́ю, гре́ешь
  p. грел *imp.* грей!
гриб, -а́ *m.pl.* грибы́, грибо́в
  mushroom
грипп, -а *m.* grippe, influenza
гроза́, -ы́ *f.* thunderstorm
гром, -а *m.* thunder
грома́дный *a.* huge, enormous,
  vast, immense
  sh. грома́ден, грома́дна, -о, -ы
гро́мкий, ая, ое, ие *a.* loud,
  famous
  sh. гро́мок, громка́, гро́мко,
  гро́мки
громкоговори́тель, -я *m.* loud-
  speaker
громо́здкий, ая, ое, ие *a.* cumber-
  some, bulky, unwieldy
  sh. громо́здок, громо́здка, о, -ы
гру́бость, -и *f.* rudeness, roughness
гру́бый *a.* coarse, rough, crude,
  harsh, raw
  sh. груб, груба́, гру́бо, гру́бы
грудь, -и *f.* breast, chest
груз, -а *m.* load, freight, cargo,
  burden, weight
грунт, -а *m.* soil, ground, bottom
гру́ппа, -ы *f.* group
грязни́ть *I/P* **загрязни́ть** soil,
  make dirty
 I грязню́, грязни́шь
  p. грязни́л
  imp. грязни́!
  ppp. загрязнённый
гря́зный *a.* dirty, filthy
  sh. гря́зен, грязна́, гря́зно,
  гря́зны *or* грязны́
губи́тельный *a.* pernicious, ruin-
  ous, disastrous, fatal
гу́бка, -и *f.* sponge
гу́бчатый *a.* spongy
густо́й *a.* thick, dense
  sh. густ, густа́, гу́сто, гу́сты/
  густы́

да *partic. & cj.* yes, and

дава́ть *I/P* **дать** give, let, allow
 I даю́, даёшь, даёт
  p. дава́л, дава́ла *imp.* дава́й!
 P дам, дашь, даст, дади́м,
  дади́те, даду́т
  p. дал, дала́, да́ло
  imp. дай! *ppp.* да́нный
дави́ть *I* press, hurt, crush, squeeze
  давлю́, да́вишь
  p. дави́л *imp.* дави́!
давле́ние, -я *n.* pressure, compression
да́вний *a.* old, ancient, bygone
давно́ *adv.* long ago, for a long time
  давно́ пора́ it's high time
да́же *partic.* even, though
да́лее *adv.* further, farther
  и так да́лее and so on, (*abb.*
  и.т.д.) etc.
далёкий, ая, ое, ие *a.* remote,
  distant, far away, long
  sh. далёк, далека́, далеко́,
  далеки́ *or* далёки
далеко́ *adv.* far off, far away
да́льний, яя, ее, ие *a.* distant,
  remote
да́льше *comp. of* далёкий *& corresp. adv.* further, then
да́нные, -ых *pl.* data, facts,
  makings
да́нный *a.* given, present
  sh. дан, дана́, дано́, даны́
  with negation не дан, не дана́, не
  дано, не даны
дар, -а *m.* gift, donation, present
дари́ть *I/P* **подари́ть** make a
  present
 I дарю́, да́ришь
  p. дари́л *imp.* дари́!
да́та, -ы *f.* date
да́тчик, -а *m.* pick-up, transmitter,
  transducer, element, controller
дать *see* дава́ть
дверь, -и *f.pl.* две́ри, двере́й
  door, entrance
дви́гатель, -я *m.* engine, motor
  дви́гатель вну́треннего сгора́ния
  I.C. engine

дви́гать *I/P* **дви́нуть** move, set going, advance, promote
I дви́гаю, -аешь
p. дви́гал *imp.* дви́гай!
P дви́ну, -ешь
p. дви́нул *imp.* дви́нь!
ppp. дви́нутый
дви́гаться *I/P* **дви́нуться** move, change position
движе́ние, -я *n.* motion, movement
дви́нуть *see* дви́гать
дви́нуться *see* дви́гаться
дво́е *num.* collective two
дво́их, двои́м, двои́х/дво́е/ двои́ми, о дво́их
двойно́й *a.* double, dual, binary
дво́який *a.* double, ambiguous
двувале́нтный *a.* bivalent, divalent
двуха́томный *a.* diatomic
двухме́рный *a.* two-dimensional
двухта́ктный *a.* two-stroke (engine)
де́йствие, -я *n.* action, act
действи́тельный *a.* actual, real, valid
sh. действи́телен, действи́тельна, действи́тельно,
де́йствовать *I/P* **поде́йствовать**
I де́йствую, де́йствуешь
p. де́йствовал
imp. де́йствуй!
декабрь, -я́ *m.* December
де́лать *I/P* **сде́лать** make, produce, do
I де́лаю, де́лаешь
p. де́лал
imp. де́лай!
P сде́лаю, сде́лаешь
p. сде́лал
imp. сде́лай!
ppp. сде́ланный
дели́ть *I/P* **подели́ть, раздели́ть** divide, share
I делю́, де́лишь
p. дели́л *imp.* дели́!
ppp. делённый

деле́ние, -я *n.* fission, division, cell division
де́ло, -а *n.* affair, concern, business, situation
как дела́? how is business?
демонстри́ровать *I/P* **продемонстри́ровать** demonstrate
I демонстри́рую, демонстри́руешь/демонстри́ровал
ppp. демонстри́рованный
день, дня, дню, дня, днём, о дне *m.* day *pl.* дни, дней, дням
де́ньги, де́нег, деньга́м *pl.* money
де́рево, -а *n.pl.* дере́вья, дере́вьев tree, wood (as a material)
деревя́нный *a.* wooden
держа́тель, -я *m.* holder, container
держа́ть *I/P* **подержа́ть** hold
I держу́, де́ржишь
p. держа́л
imp. держи́!
деся́ток, деся́тка *m.* ten, group of ten (collective numeral)
дета́ль, -и *f.* detail, piece
деформа́ция, -и *f.* deformation, strain (engineering)
дешёвый *a.* cheap
sh. дёшев, дешева́, дёшево, дёшевы
де́ятельность, -и *f.* activities, activity
диа́метр, -а *m.* diameter
дина́мика, -и *f.* dynamics
дио́д, -а *m.* diode
дипо́ль, -я *m.* dipole
дистанцио́нный *a.* long distance, distance, remote
дистанцио́нное управле́ние remote control
дистиллиро́ванный *a.* distilled
длина́, -ы́ *f.* length
дли́нный *a.* long
sh. дли́нен, длинна́, дли́нно, дли́нны
дли́тельный *a.* slow, protracted, lengthy
дно, -а *n.* bottom

доба́вить *see* добавля́ть
добавля́ть *I/P* доба́вить add
  I добавля́ю, -я́ешь
  P доба́влю, доба́вишь
    p. доба́вил *imp.* доба́вь!
    ppp. доба́вленный
добива́ться *I/P* доби́ться achieve,
  obtain, secure, get
  I добива́юсь, добива́ешься
  P добью́сь, добьёшься
    p. доби́лся, доби́лась
    imp. добе́йся, добе́йтесь!
добыва́ние, -я *n.* obtaining, production, extraction
добыва́ть *I/P* добы́ть get, obtain,
  procure, *also* mine, extract
  I добыва́ю, добыва́ешь
  P добу́ду, добу́дешь
    p. добы́л, добыла́, добы́ло/
      до́было, добы́ли/до́были
    imp. добу́дь! *ppp.* добы́тый
добы́ча, -и *f.* extraction, booty,
  spoils
довезти́ *see* довози́ть
довести́ *see* доводи́ть
до́вод, -а *m.* argument, reason
доводи́ть *I/P* довести́ lead, bring
  I довожу́, дово́дишь
    p. доводи́л *imp.* доводи́!
  P доведу́, доведёшь
    p. довёл, довела́
    imp. доведи́!
    ppp. доведённый
довози́ть *I/P* довезти́ take in a
  vehicle, bring, carry in a vehicle
  I довожу́, дово́зишь
    p. довози́л *imp.* довози́!
  P довезу́, довезёшь
    p. довёз, довезла́
    imp. довези́!
    ppp. довезённый
дово́льно *adv.* rather, quite,
  fairly, enough
дово́льный *a.* content, satisfied,
  pleased
  sh. дово́лен, дово́льна, дово́льно
дождь, -я́ *m.* rain
дойти́ *see* доходи́ть

доказа́тельство, -а *n.* proof, evidence, testimony
доказа́ть *see* дока́зывать
дока́зывать *I/P* доказа́ть
  I дока́зываю, дока́зываешь
  P докажу́, дока́жешь
    p. доказа́л *imp.* докажи́!
    ppp. дока́занный
докла́д, -а *m.* report, document
докла́дчик, -а *m.* lecturer,
  speaker, reporter
докла́дывать *I/P* доложи́ть report
  I докла́дываю, -аешь
  P доложу́, доло́жишь
    p. доложи́л *imp.* доложи́!
    ppp. доло́женный
до́лгий, ая, ое, ие *a.* long
  sh. до́лог, долга́, до́лго, до́лги
до́лжен, должна́, должно́, должны́
  pred. should, ought
до́лжный *a.* proper, due
до́ля, -и *f.* share, fraction, part
дом, -а *m.* house, home *pl.* дома́,
  домо́в
до́ма *adv.* at home
дома́шний, яя, ее, ие *a.* house,
  home
до́мна, -ы *f.* blast furnace
домо́й *adv.* home
донести́ *see* доноси́ть
доноси́ть *I/P* донести́ report,
  inform
  I доношу́, доно́сишь
    p. доноси́л *imp.* доноси́!
  P донесу́, донесёшь
    p. донёс, донесла́
    imp. донеси́!
    ppp. донесённый
допо́лнить *see* дополня́ть
дополня́ть *I/P* допо́лнить sup-
  plement, add, complete
  I дополня́ю, -я́ешь
  P допо́лню, допо́лнишь
    p. допо́лнил *imp.* допо́лни!
    ppp. допо́лненный
до́пуск, -а *m.* tolerance, admittance
  pl. до́пуски, до́пусков

допуска́ть *I/P* допусти́ть admit,
  permit, allow, tolerate, assume
  I допуска́ю, а́ешь
  P допущу́, допу́стишь
    p. допусти́л *imp.* допусти́!
    ppp. допу́щенный
допуще́ние, -я *n.* assumption
доро́га, -и *f.* road, way
до́рого *adv.* dear, dearly
дорого́й *a.* expensive, dear, costly
  sh. до́рог, дорога́, до́рого, до́роги
доска́, и́ *f.* board *acc.* до́ску
  pl. до́ски, досо́к, доска́м
досло́вный *a.* word for word,
  literal
достава́ть *I/P* доста́ть take out,
  get out, get, reach
  I достаю́, достаёшь
    p. достава́л
    imp. достава́й!
  P доста́ну, доста́нешь
    p. доста́л *imp.* доста́нь!
доста́вить *see* доставля́ть
доставля́ть *I/P* доста́вить de-
  liver give
  I доставля́ю, -я́ешь
    p. доставля́л
    imp. доставля́й!
  P доста́влю, доста́вишь
    p. доста́вил
    imp. доста́вь!
    ppp. доста́вленный
доста́точный *a.* sufficient
  sh. доста́точен, доста́точна,
    доста́точно
достига́ть *I/P* дости́гнуть/дости́чь
  reach, achieve, attain (*with gen.*)
  I достига́ю, -а́ешь
  P дости́гну, дости́гнешь
    p. дости́г, дости́гла
    imp. дости́гни!
    ppp. дости́гнутый
достиже́ние, -я *n.* reading,
  achievement, attainment, progress
досту́пный *a.* accessible
  sh. досту́пен, досту́пна, досту́-
    пно, досту́пны

доходи́ть *I/P* дойти́ go up to,
  reach, come to
  I дохожу́, дохо́дишь
    p. доходи́л *imp.* доходи́!
  P дойду́, дойдёшь
    p. дошёл, дошла́
    imp. дойди́!
драгоце́нный *a.* precious
  sh. драгоце́нен, драгоце́нна,
    драгоце́нно
древеси́на, -ы *f.* wood, wood
  pulp, wood cellulose
  древе́сный у́голь charcoal
дре́вний *a.* ancient, antique, very
  old
дре́йф, -а *m.* drift
дро́бный *a.* fractional
дробь, -и *f.* fraction, small shot
друг, -а *m.* friend *pl.* друзья́,
  друзе́й, друзья́м
дуга́, -и́ *f.pl.* ду́ги, дуг, ду́гам
  arc, arch
ду́мать *I/P* поду́мать think
дух, -а *m.* spirit, courage *pl.*
  ду́хи spirits духи́ scent,
  perfume
дым, -а *m.* smoke *pl.* дымы́
дыра́, -ы́ *f.* hole
ды́рка, -и *f.* small hole
ды́рочный *a.* perforated
дыха́ние, -я *n.* breathing, breath,
  respiration
дыша́ть *I/P* подыша́ть breathe
  I дышу́, ды́шишь
    p. дыша́л *imp.* дыши́!
дю́жина, -ы *f.* dozen, 12

его́ *gen. & acc. of* он, оно́ *pron.*
  he *or* it
еда́, -ы́ *f.* food, meal
едва́ *adv. or cj.* hardly, just,
  barely
едини́ца, -ы *f.* one, unit, unity
едини́чный *a.* single, one only,
  isolated, rare
  sh. едини́чен, едини́чна,
    едини́чно
единогла́сно, *adv.* unanimously

единоду́шный *a.* unanimous
  sh. единоду́шеи, -а, -о, -ы
еди́нственный *a.* only, sole
  sh. еди́нствен, еди́нственна,
    еди́нственно, еди́нственное
    число́ singular (number)
еди́ный *a.* indivisible, united,
  single, common
  sh. еди́н, -а, -о, -ы
е́дкий, ая, ое, ие *a.* caustic, acrid,
  pungent
  sh. е́док, едка́, е́дко, е́дки
    е́дкий на́тр *fixed exp.* caustic
    soda
    е́дкое ка́ли caustic potash
её *gen. & acc. of* она *pron.* she
ежего́дный *a.* annual, yearly
ежедне́вный *a.* daily, everyday
ежедне́вно *adv.* daily, everyday
ежеме́сячный *a.* monthly, every
  month
еженеде́льный *a.* weekly
ежесу́точно *adv.* every day, every
  24 hours
е́сли *cj.* if, even, though
есте́ственный *a.* natural science
  sh. есте́ствен, есте́ственна, -о, -ы
естествозна́ние, -я *n.* natural
  science, natural history
есть *I/P* **съе́сть** eat
  I ем, ешь, ест, еди́м, еди́те, едя́т
    p. ел, е́ла *imp.* ешь!
  P съем, съе́шь
    p. съел, съе́ла *imp.* съе́шь!
есть is, are *pres. of* быть to be
е́хать *I/P* **пое́хать** go, drive, ride
  (*concrete movement in a definite
  direction*)
  I е́ду, е́дешь, е́дет
    p. е́хал
  P пое́ду, пое́дешь
    p. пое́хал
ещё *adv.* some more, still, even
ёмкость, -и *f.* capacity, volume

жа́дный *a.* greedy, covetous
  sh. жа́ден, жадна́, жа́дно,
    жа́дны

жа́жда, -ы *f.* thirst
жара́, -ы́ *f.* heat
жа́ркий, ая, ое, ие *a.* hot, tropical,
  heated
  sh. жа́рок, жарка́, жа́рко
жать *I* press, squeeze
  жму́, жмёшь *p.* жал, жа́ла
  imp. жми! *ppp.* жа́тый
же *part. or cj.* but, however
жела́ние, -я *n.* desire, wish
жела́ть *I/P* пожела́ть wish,
  want, desire
  жела́ть сча́стья wish happiness
  I жела́ю, жела́ешь
    p. жела́л *ppp.* жела́нный
железнодоро́жный *a.* railway
желе́зный *a.* iron
желе́зо, -а *n.* iron
жёлтый *a.* yellow (*colour*)
  sh. жёлт, желта́, жёлто/желто́
желу́док, желу́дка *m.* stomach
жёлчный *a.* bilious, bitter
жёлчь, -и *f.* gall, bile
жёсткий, ая, ое, ие *a.* hard, stiff,
  tough, strict
  sh. жёсток, жестка́, жёстко,
    жёстки
жесть, -и *f.* tinplate, sheet metal
жечь *I/P* сжечь burn
  I жгу, жжёшь, жжёт, жжём,
    жжёте, жгут
    p. жёг, жгла́ *imp.* жги!
  P сожгу́, сожжёшь, сжёг, сожгла́
    imp. сожги́!
    ppp. жжённый, сожжённый
живо́й *a.* living, lively, vivid,
  animated
  sh. жив, жива́, жи́во, жи́вы
живо́тное, -ого *n.* animal (as
  noun)
живо́тный *a.* animal
  живо́тный мир animals
  живо́тный органи́зм living
    organism
жи́дкий, ая, ое, ие *a.* liquid, thin,
  weak, scanty, thinning
  sh. жи́док, жидка́, жи́дко,
    жи́дки

жи́дкость, -и *f.*   fluid, liquid
жи́зненный *a.*   life, vital, fundamental
   sh. жи́знен, жи́зненна, жи́зненно, жи́зненны
жизнь, -и *f.*   life
жи́ла, -ы *f.*   tendon, vein, mining vein
жили́ще, -а *n.*   dwelling, quarters, abode
жилпло́щадь = жила́я пло́щадь   dwelling, space, floor-space
жир, -а *m.pl.* жиры́, жиро́в   fat, grease, oil
жи́рный *a.*   fat, greasy
   sh. жи́рен, жирна́, жи́рно, жи́рны
жи́тель, -я *m.*   inhabitant, resident
жить *I* live
   живу́, живёшь
   p. жил, жила́, жи́ло, жи́ли
   imp. живи́!
журна́л, -а *m.*   magazine, journal, register, diary, log-book

за *prep. with acc.*   toward, for, during; *prep. with instr.*   after, behind
заболе́ть *see* боле́ть
забыва́ть *I/P* забы́ть   forget, neglect, leave behind, leave
   I забыва́ю, забыва́ешь
   P забу́ду, забу́дешь
   p. забы́л *imp.* забу́дь!
   ppp. забы́тый
забы́ть *see* забыва́ть
заверша́ть *I/P* заверши́ть   complete, conclude, accomplish
   I заверша́ю, заверша́ешь
   P завершу́, заверши́шь
   p. заверши́л *imp.* заверши́!
завести́ *see* заводи́ть
зави́сеть *I* depend
   зави́шу, зави́сишь *p.* зави́сел
зави́симость, -и *f.*   dependence
заво́д, -а *m.*   factory, mill, works, refinery, *also* winding mechanism *or* winding up

заводи́ть *I/P* завести́   wind up, introduce start, instigate
   I завожу́, заво́дишь
   p. заводи́л *imp.* заводи́!
   P заведу́, заведёшь
   p. завёл, завела́
   imp. заведи́!
   ppp. заведённый
за́втра *adv.*   tomorrow
зага́дка, -и *f. gen. pl.* зага́док   riddle, puzzle, mystery
загля́дывать *I/P* загляну́ть   peep in, glance, look
   I загля́дываю, загля́дываешь
   P загляну́, загля́нешь
   p. загляну́л *imp.* загляни́!
загора́живать *I/P* загороди́ть   fence in, enclose, obstruct, bar
   I загора́живаю, загора́живаешь
   P загорожу́, загоро́дишь/ загороди́шь
   p. загороди́л *imp.* загороди́!
   ppp. загоро́женный
загора́ться *I/P* загоре́ться   catch fire, become ignited
   I загора́юсь, загора́ешься
   P загорю́сь, загори́шься, загоре́лся
   imp. загори́сь!
загрязни́ть *see* грязни́ть   soil, make dirty
загрязне́ние, -я *n.*   contamination, pollution, impurity
задава́ть *I/P* зада́ть   set, give
   I задаю́, задаёшь задаёт
   p. задава́л *imp.* задава́й!
   P зада́м, зада́шь, зада́ст, задади́м, задади́те, зададу́т
   p. за́дал, задала́, за́дало, за́дали
   imp. зада́й!
   ppp. за́данный
зада́ние, -я *n.*   task, job, assignment
зада́ть *see* задава́ть
зада́ча, -и *f.*   problem, task, aim, object
задержа́ть *see* заде́рживать

заде́рживать *I/P* задержа́ть
delay, detain, keep off, retard
I заде́рживаю, заде́рживаешь
P задержу́, заде́ржишь
p. задержа́л *imp.* задержи́!
ppp. заде́ржанный
за́дний, яя, ее, ие *a.* back, rear, hind
заду́мать *see* заду́мывать
заду́мывать *I/P* заду́мать plan, conceive, intend
I заду́мываю, заду́мываешь
p. заду́мывал
P заду́маю, заду́маешь
p. заду́мал *imp.* заду́май!
ppp. заду́манный
зажа́ть *see* зажима́ть
заже́чь *see* зажига́ть
зажига́ть *I/P* заже́чь light, turn on light, ignite
I зажига́ю, зажига́ешь
P зажгу́, зажжёшь, зажжёт, зажгу́т
p. зажёг, зажгла́ *imp.* зажги́!
ppp. зажжённый
зажима́ть *I/P* зажа́ть clutch, squeeze
I зажима́ю, зажима́ешь
P зажму́, зажмёшь
p. зажа́л *imp.* зажми́!
ppp. зажа́тый
заземли́ть *see* заземля́ть
заземля́ть *I/P* заземли́ть earth, ground
I заземля́ю, заземля́ешь
P заземлю́, заземли́шь
зазо́р, -а *m.* gap, spacing, clearance, tolerance
заи́мствовать *I/P* позаи́мствовать adopt, borrow, derive
I заи́мствую, заи́мствуешь
p. заи́мствовал
imp. заи́мствуй!
ppp. заи́мствованный
закалённый *a.* hardened, tempered
sh. закалён, закалена́, закалено́, -ы́

зака́нчивать *I/P* зако́нчить end, complete, conclude, finish
I зака́нчиваю, зака́нчиваешь
P зако́нчу, зако́нчишь
p. зако́нчил
imp. зако́нчи!
ppp. зако́нченный
закла́дывать *see* заложи́ть
за́кись, -и *f.* oxide
заключа́ть *I/P* заключи́ть imprison, wind up, conclude, contain
I заключа́ю, заключа́ешь
P заключу́, заключи́шь
p. заключи́л *imp.* заключи́!
ppp. заключённый
заключе́ние, -я *n.* confinement, conclusion, resolution
заключи́тельный *a.* final, concluding
заключи́ть *see* заключа́ть
зако́н, -а *m.* law
зако́нный *a.* legal, legitimate
sh. зако́нен, зако́нна
закономе́рный *a.* natural, regular
sh. закономе́рен, закономе́рна
зако́нчить *see* зака́нчивать
закрепи́ть *see* закрепля́ть
закрепля́ть *I/P* закрепи́ть fix, fasten, secure, consolidate
I закрепля́ю, закрепля́ешь
P закреплю́, закрепи́шь
p. закрепи́л *imp.* закрепи́!
ppp. закреплённый
закрыва́ть *I/P* закры́ть shut, close, cover
I закрыва́ю, закрыва́ешь
P закро́ю, закро́ешь
p. закры́л *imp.* закро́й!
ppp. закры́тый
зали́в, -а *m.* bay, gulf
залива́ть *I/P* зали́ть flood, overflow
I залива́ю, залива́ешь
P залью́, зальёшь
p. зали́л *imp.* зале́й!
ppp. за́литый
за́лежь, -и *f.* deposit (*mineral*)

заложи́ть *P/I* **закла́дывать** put, lay
P заложу́, зало́жишь
p. заложи́л
imp. заложи́!
ppp. зало́женный
I закла́дываю, закла́дываешь
p. закла́дывал

зама́нчивый *a.* tempting, alluring, enticing

заме́длить *see* замедля́ть

замедля́ть *I/P* **заме́длить** slow down, retard, delay
I замедля́ю, замедля́ешь
P заме́длю, заме́длишь
p. заме́длил
imp. заме́дли!
ppp. заме́дленный

заме́на, -ы *f.* substitution, change, replacement

замени́ть *see* заменя́ть

заменя́ть *I/P* **замени́ть** replace, exchange
I заменя́ю, заменя́ешь
P заменю́, заме́нишь
p. замени́л *imp.* замени́!
ppp. заменённый

замести́тель, -я *m.* deputy

заме́тка, -и *f.* paragraph, note

заме́тный *a.* visible, noticeable, appreciable, marked
sh. заме́тен, заме́тна, -о, -ы

замеча́ние, -я *n.* remark, observation, reprimand

замеча́тельный *a.* wonderful, remarkable, splendid

замеча́ть *I/P* **заме́тить** notice, see, get sign
I замеча́ю, замеча́ешь
P заме́чу, заме́тишь
p. заме́тил *imp.* заме́ть!
ppp. заме́ченный

замеща́ть *I* replace, substitute, act for
замеща́ю, замеща́ешь
ppp. аамещённый

за́мкнутый *a.* closed, locked, exclusive, secluded

занима́ть *I/P* **заня́ть** occupy, take, borrow
I занима́ю, занима́ешь
P займу́, займёшь
p. за́нял *imp.* займи́!
ppp. за́нятый

занима́ться *I/P* **заня́ться** be engaged, busy, study

заня́ть *see* занима́ть

заня́ться *see* занима́ться

заня́тие, -я *n.* occupation, pursuit, work, studies

за́пад, -а *m.* west

за́падный *a.* western

запа́с, -а *m.* stock supply, reserve

запасна́я часть/запча́сть *f.* spare part

за́пах, -а *m.* smell, odour

записа́ть *see* запи́сывать

запи́сывать *I/P* **записа́ть** write down, record, note
I запи́сываю, запи́сываешь
P запишу́, запи́шешь
p. записа́л *imp.* запиши́!
ppp. запи́санный

за́пись, -и *f.* writing down, recording, entry, inscription

запо́лнить *see* заполня́ть

заполня́ть *I/P* **запо́лнить**
I заполня́ю, заполня́ешь
P запо́лню, запо́лнишь
p. запо́лнил *imp.* запо́лни!
ppp. запо́лненный fill, pack

запомина́ть *I/P* **запо́мнить** memorize, remember
I запомина́ю, запомина́ешь
P запо́мню, запо́мнишь
p. запо́мнил
imp. запо́мни!

запрети́ть *see* запреща́ть

запреща́ть *I/P* **запрети́ть** forbid, prohibit, ban
I запреща́ю, запреща́ешь
P запрещу́, запрети́шь
p. запрети́л *imp.* запрети́!
ppp. запрещённый

за́пуск, -а *m.* start, starting, launching

запуска́ть *I/P* **запусти́ть** start, launch
I запуска́ю, запуска́ешь
P запущу́, запу́стишь
p. запусти́л
imp. запусти́!
ppp. запу́щенный
запусти́ть *see* запуска́ть
зара́нее *adv.* beforehand, in advance, previously, earlier
заро́дыш, -а *m.* embryo, germ, nucleus
заря́д, -а *m.* charge, load, cartridge
заряди́ть *see* заряжа́ть
заряжа́ть *I/P* **заряди́ть** load, charge
I заряжа́ю, заряжа́ешь
P заряжу́, заряди́шь/заря́дишь
p. заряди́л *imp.* заряди́!
заряжённый *part.* charged, loaded
заса́сывать *I/P* **засоса́ть** suck in
I заса́сывает
P засосёт *ppp.* засо́санный
застава́ть *I/P* **заста́ть** find, catch
I застаю́, застаёшь
p. застава́л *imp.* застава́й!
P заста́ну, заста́нешь
p. заста́л *imp.* заста́нь!
заста́вить *see* заставля́ть
заставля́ть *I/P* **заста́вить** make, force, compel
I заставля́ю, заставля́ешь
P заста́влю, заста́вишь
p. заста́вил *imp.* заста́вь!
ppp. заста́вленный
затво́р, -а *m.* bolt, lock, shutter
зате́м *adv.* then, after
затемне́ние, -я *n.* black-out
затме́ние, -я *n.* eclipse
затра́тить *see* затра́чивать
затра́чивать *I/P* **затра́тить** spend
I затра́чиваю, затра́чиваешь
P затра́чу, затра́тишь
p. затра́тил
ppp. затра́ченный
затрудни́ть *see* затрудня́ть

затрудня́ть *I/P* **затрудни́ть** trouble, embarrass, impede
I затрудня́ю, затрудня́ешь
P затрудню́, затрудни́шь
p. затрудни́л
ppp. затруднённый
затуха́ние, -я *n.* attenuation, damping (oscillation)
захвати́ть *see* захва́тывать
захва́тывать *I/P* **захвати́ть** hold, grip, seize, capture, take
I захва́тываю, -аешь
P захвачу́, захва́тишь
p. захвати́л *imp.* захвати́!
ppp. захва́ченный
защити́ть *see* защища́ть
защища́ть *I/P* **защити́ть** defend, protect
I защища́ю, -а́ешь
P защищу́, защити́шь
p. защити́л
imp. защити́!
ppp. защищённый
звезда́, -ы́ *f.pl.* звёзды, звёзд, звёздам star
звук, -а *m.* sound
звуково́й *a.* sound, audio, acoustic, sonic (*also* phonetic)
зелёный *a.* green
sh. зе́лен, зелена́, зе́лено, зе́лены
земля́, -и́ *f.* earth
acc. зе́млю *pl.* зе́мли, земе́ль, зе́млям
земно́й *a.* earthly, terrestrial
зе́ркало, -а *n.* mirror, looking-glass
pl. зеркала́, зерка́л, зеркала́м
зерно́, -а́ *n.* grain, seed corn, kernel, core
pl. зёрна, зёрен, зёрнам
зима́, -ы́ *f.* winter *acc.* зи́му
pl. зи́мы
зи́мний *a.* winter
знак, -а *m.* sign
знако́мый *a.* familiar, acquainted
знамена́тель, -я *m.* denominator
зна́ние, -я *n.* knowledge

знать *I/P* **узнáть** know
  I знáю, -áешь *p.* знал
значéние, -я *n.* meaning, sense,
  significance, importance, value
значúтельный *a.* considerable,
  substantial, important, signifi-
  cant
  sh. значúтелен, значúтельна
знáчить *I* mean, signify
  знáчу, знáчишь, знáчил
золá, -ы́ *f.* ashes
зóлото, -a *n.* gold
зóна, -ы *f.* zone
зрéние, -я *n.* view, sight
зрúтельный *a.* visual, optic
зуб, -a *m.* tooth
  pl. зýбы, зубóв teeth зýбья,
  зýбьев serration (of jaw,
  cogged wheel, etc.)

иглá, -ы́ *f.pl.* úглы, игл, úглам
  needle, thorn
игрáть *I/P* **сыгрáть** play, act
  I игрáю, игрáешь
  p. игрáл *ppp.* úгранный
  P сыгрáю, сыгрáешь
идéя, -и *f.* idea, notion, concept,
  thought, plan
и др. (и другúе) *abbrev.* and
  others, etc.
избирáть *I/P* **избрáть** choose,
  elect, pick out, select
  I избирáю, избирáешь
  P изберý, изберёшь
  p. избрáл, избралá избрáло
  imp. изберú! *ppp.* úзбранный
избрáть *see* избирáть
избы́ток, избы́тка *m.* surplus, excess
избы́точный *a.* superfluous,
  plentiful
извергáть *I/P* **извéргнуть** erupt
  I извергáю, извергáешь
  P извéргну, извéргнешь
  p. извéрг, извéргнул,
  извéргла
  ppp. извéрженный,
  извéргнутый

извéстный *a.* well-known, famous,
  notorious
  sh. извéстен, извéстна
известня́к, -á *m.* limestone
úзвесть, -и *f.* lime
извúлистый *a.* sinuous, winding
извлекáть *I/P* **извлéчь** extract,
  take out, draw, derive
  I извлекáю, -áешь
  P извлекý, извлечёшь, извле-
  чёт, извлекýт
  p. извлёк, извеклá
  imp. извлекú!
  ppp. извлечённый
изгúб, -a *m.* bending, deflection,
  curve
изготовля́ть изготóвить *I/P* prepare, produce
  I изготовля́ю, -я́ешь
  P изготóвлю, изготóвишь
  p. изготóвил *imp.* изготóвь
  ppp. изготóвленный
издавáть *I/P* **издáть** publish,
  issue, promulgate, give out
  I издаю́, издаёшь
  p. издавáл *imp.* издавáй!
  P издáм, издáшь, издáст, изда-
  дúм, издадúте, издадýт
  p. издáл, издалá, издáло,
  издáли
  imp. издáй! *ppp.* úзданный
издáть *see* издавáть
издéлие, -я *n.* make, article, ware
из-за (*with gen.*) from behind,
  because of
излагáть *I/P* **изложúть** set forth,
  state, expound
  I излагáю, излагáешь
  P изложý, излóжишь
  p. изложúл *imp.* изложú!
  ppp. излóженный
излúшек, излúшка *m.* surplus,
  excess
изложúть *see* излагáть
излучáть *I/P* **излучúть** radiate
  I излучáю, излучáешь
  P излучý, излучúшь
  p. излучúл *imp.* излучú!

в

излуче́ние, -я *n.* radiation
измени́ть *see* изменя́ть
измени́ться *see* изменя́ться
изменя́ть *I/P* измени́ть change,
alter, betray
  I изменя́ю, -я́ешь
  P изменю́, изме́нишь
  p. измени́л *imp.* измени́!
  ppp. изменённый
изменя́ться *I/P* измени́ться
change, become different
изме́рить *see* измеря́ть
измеря́ть *I/P* изме́рить measure,
gauge
  I измеря́ю, -я́ешь
  P изме́рю, изме́ришь
  p. изме́рил *imp.* изме́рь!
  ppp. изме́ренный
изобража́ть *I/P* изобрази́ть depict, portray, represent, show
  I изобража́ю, -а́ешь
  P изображу́, изобрази́шь
  p. изобрази́л
  imp. изобрази́!
  ppp. изображённый
изображе́ние, -я *n.* picture,
image, representation
изобрази́ть *see* изобража́ть
изобрести́ *see* изобрета́ть
изобрета́тель, -я *m.* inventor
изобрета́тельный *a.* inventive,
ingenious
изобрета́ть *I/P* изобрести́
  I изобрета́ю, изобрета́ешь
  P изобрету́, изобретёшь
  p. изобрёл, -ела́
  imp. изобрети́!
  ppp. изобретённый
изоли́ровать *I* и *P* isolate *or* in-
sulate
  изоли́рую, изоли́руешь
  p. изоли́ровал
  imp. изоли́руй!
  ppp. изоли́рованный
изоля́тор, -а *m.* isolator, insulator
изоля́ция, -и *m.* isolation, insula-
tion
изото́п, -а *m.* isotope

изуча́ть *I/P* изучи́ть study,
master, learn, investigate
  I изуча́ю, изуча́ешь
  P изучу́, изу́чишь
  p. изучи́л *imp.* изучи́!
  ppp. изу́ченный
изыска́ние, -я *n.* finding, procur-
ing, investigation, research
и́ли *cj.* or
ио́н -а *m.* ion
испо́льзовать *I* make use of, use
  испо́льзую, ешь
иссле́дование, -я *n.* investigation,
research, exploration
иссле́дователь, -я *m.* investigator,
explorer
иссле́довать *I* и *P* investigate, ex-
plore, examine, analyse
  иссле́дую, иссле́дуешь
  p. иссле́довал
  imp. иссле́дуй!
  ppp. иссле́дованный
и́стина, -ы *f.* truth, verity
и́стинный *a.* veritable, true
  sh. и́стенен, и́стинна, и́стинно,
  и́стинны
истори́ческий, ая, ое, ие *a.* his-
torical, historic
исто́рия, -и *f.* history
исто́чник, -а *m.* source, spring
исхо́дный *a.* initial, starting
исходи́ть *I* issue, originate, proceed
  исхожу́, исхо́дишь
  p. исходи́л *imp.* исходи́!
исчеза́ть *I/P* исче́знуть disappear, vanish
  I исчеза́ю, -а́ешь
  P исче́зну, исче́знешь
  p. исче́з, исче́зла
  imp. исче́зни!
исчерпа́ть *see* исче́рпывать
исче́рпывать *I/P* исчерпа́ть exhaust, use up
  I исче́рпываю, исче́рпываешь
  P исчерпа́ю, исчерпа́ешь
  p. исчерпа́л
  ppp. исче́рпанный

исчи́слить *see* исчисля́ть
исчисля́ть *I/P* исчи́слить calculate, estimate
  I исчисля́ю, -я́ешь
  P исчи́слю, исчи́слишь
  ppp. исчи́сленный
ита́к *cj.* thus, so
ито́г, -а *m.* sum, total, result, end
ию́ль, ию́ля *m.* July
ию́нь, ию́ня *m.* June

йод, -а *m.* iodine

к, ко *prep. with dat.* to, towards
ка́бель, -я *m.* cable
ка́др -а *m.* frame (television), still (film)
ка́ждый *pron.* each, every
каза́ться *I/P* показа́ться seem, appear, look
  I кажу́сь, ка́жешься
  p. каза́лся, каза́лась
как *adv.* how, as, like
  ка́к бы as if were, as though
ка́к-нибудь *adv.* somehow
как то́лько *adv.* as soon as
как... так и... both and
како́в, какова́, -о́, -ы́ what (*colloq.* how do you like him?)
како́й, а́я, о́е, и́е *pron.* what, what kind
ка́лий, -я *m.* potassium
кало́рия, -и *f.* calorie
ка́льций, -я *m.* calcium
камени́стый *a.* stony, rocky
ка́менный *a.* stone, hard
ка́мень, ка́мня *m. pl.* ка́мни, камне́й (*not* ка́мней) stone
ка́мера, -ы *f.* chamber
камфара́, -ы́ *f.* camphor
кандида́т, -а *m.* candidate
  кандида́т нау́к *a scientific degree* of M.Sc. or Ph.D.
ка́пелька, -и *f.* small drop
ка́пля, -и *f.* drop
капилля́тор, -а *m.* capillary
карби́д, -а *m.* carbide
ка́рта, -ы *f.* map, chart

карти́на, -ы *f.* picture, pattern
карто́фель, -я *m.* potatoes, potato plant
карье́р, -а *m.* open-cast mine, quarry
каса́тельный *a.* concerning, relevant
каса́тельная, -ой *f.* tangent
каса́ться *I/P* косну́ться touch, concern, affect, apply to
  I каса́юсь, каса́ешься
  P косну́сь, косне́шься
  p. косну́лся, косну́лась
  imp. косни́сь!
катализа́тор, -а *m.* catalyst
ката́ть *I* roll, wheel, take for a drive
  ката́ю, ката́ешь
  p. ката́л *imp.* ката́й!
  cf. кати́ть
кати́ть *I/P* покати́ть roll, wheel (*a concrete action, movement in a definite direction*)
  качу́, ка́тишь
  p. кати́л *imp.* кати́!
катего́рия, -и *f.* category
катио́н, -а *m.* cation
като́д, -а *m.* cathode
кату́шка, -и *f.* coil, bobbin, spool, reel
каучу́к, -а *m.* rubber
ка́федра, -ы *f.* chair, rostrum, pulpit (dept. at university)
кача́ть *I/P* качну́ть rock, swing, sway (also jump)
  I кача́ю, кача́ешь
  P качну́, качне́шь
ка́чество, -а *n.* quality
ка́чественный *a.* qualitative
качну́ть *see* кача́ть
квадра́т, -а *m.* square, *math.* the second power
квадра́тный *a.* square (in shape), quadratic
квант, -а *m.* quantum
ква́нтовый *a.* quantum
кварц, -а *m.* quartz
квасцы́, -о́в *pl. only* alum

керосин, -а *m.* kerosene, paraffin

кинетический, -ая, ое, ие *a.* kinetic

кипение, -я *n.* boiling

кипеть *I/P* вскипеть boil, seethe (*intrans.*)
I киплю, кипишь
p. кипел *imp.* кипи!

кипятить *I/P* вскипятить boil
I кипячу, кипятишь
p. кипятил *imp.* кипяти!

кипятильник, -а *m.* immersion heater, boiler

кирпич, -á *m.* brick

кислород, -а *m.* oxygen

кислота, -ы *f. pl.* кислоты acid, acidity, sourness

кислый *a.* acid, sour
sh. кисел, кисла, кисло, кислы

класс, -а *m.* class

классический, ая, ое, ие, *a.* classical

класть *I/P* положить put, place, lay
I кладу, кладёшь
p. клал *imp.* клади!
P положу, положишь
p. положил *imp.* положи!
ppp. положенный

клетка, -и *f. gen. pl.* клеток cage, check, square, cell

климат, -а *m.* climate

клин, -а *m.* wedge *pl.* клинья, клиньев

клубок, клубка *m.* ball, tangle, cluster

ключ, -á *m.* key, clue, spanner, spring

книга, -и *f.* book

кнопка, -и *f.* press-button

кобальт, -а *m.* cobalt

ковать *I/P* подковать forge, beat, hammer
I кую, куёшь
p. ковал *imp.* куй!
ppp. кованный

когда *adv.* when, while

когда-нибудь *adv.* sometime, some day

кожа, -и *f.* skin, leather, hide

колба, -ы *f.* flask, retort

колебание, -я *n.* oscillation, fluctuation, vibration

колебаться *I/P* поколебаться oscillate, vibrate, vacillate, fluctuate, hesitate
I колеблюсь, колеблешься, колеблется
p. колебался, колебалась

колесо, колеса *n.* wheel *pl.* колёса, колёс, колёсам

колёсико, -а *n.* small wheel, castor

количественный *a.* quantitative

количество, -а *n.* quantity, amount

коллектор, -а *m.* commutator, header, collector

колодец, колодца *m.* well, shaft

коллоид, -а *m.* colloid

колонна, -ы *f.* column, pillar

кольцо, -á *n.* ring *pl.* кольца, колец, кольцам

комета, -ы *f.* comet

коммерческий, ая, ое, ие, *a.* commercial

коммутатор, -а *m.* commutator, switch-board

комната, -ы *f.* room, chamber

комплекс, -а *m.* complex

комплексный *a.* complex, composite, combined

компонент, -а *m.* component

комок, комка, *m.* lump

конец, конца *m.* end, ending

конечно *parenth. and part.* of course, certainly, surely

конечный *a.* terminal, terminus, ultimate
sh. конечен, -а, -о, -ы

конкретный *a.* concrete, specific
sh. конкретен, -а, -о, -ы

консервирование, -я *n.* conservation, canning, preservation

конструктивный *a.* constructive

конструктор, -а *m.* designer, constructor

контакт, -а *m.* contact
тесный контакт close contact

контактный *a.* contact

контóра, -ы *f.* office, bureau

кончáть *I/P* **кóнчить** finish, end, graduate, stop
I кончáю, -áешь
P кóнчу, кóнчишь
p. кóнчил *ppp.* кóнченный

кóнчить *see* кончáть

координáта, -ы *f.* coordinate

корá, -ы *f.* bark crust, cortex

корáбль, -я *m.* (*gen. pl.* кораблéй) ship, vessel
корáбль-спýтник cosmic ship, satellite

кóрень, -я *m./pl.* кóрни, корнéй, корням root

коричневый *a.* brown

коромысло, -а *n.* beam, rocking, shaft, rocker

корóткий *a.* short
sh. корóток, -á, -о *or* -ó, -и *or* и
корóче *comp.* shorter

кóрпус, -а *m.* (*pl.* корпусá, корпусóв) кóрпусы, кóрпусов body, building, frame, case

коррéктный *a.* correct, proper
sh. коррéктен, коррéктна

коррóзия, -и *f.* corrosion

кóсвенный *a.* indirect, circumstantial
sh. кóсвен, кóсвенна

космический, ая, ое, ие *a.* cosmic

космонáвт, -а *m.* spacemen, cosmonaut (or woman)

кóсмос, -а *m.* cosmos, space

котёл, котлá (*pl.* котлы, -óв) *m.* cauldron, boiler, pile

котóрый *pron.* which

коэффициéнт, -а *m.* coefficient, factor, ratio
коэффициéнт полéзного дéйствия efficiency

край, крáя, крáю *m.* *pl.* края, краёв, крайм edge, brim, brink, side (also land)

крáйний *a.* extreme
крáйняя мéра extreme measure
по крáйней мéре at last

кран, -а *m.* tap, cock (also crane)

красивый *a.* beautiful, handsome, fine

краситель, -я *m.* dye, colouring agent, dyestuff

крáска, -и *f./pl.* крáски, крáсок paint, dye, colour

крáсный *a.* red
sh. крáсен, краснá, крáсно, крáсны

крáтер, -а *m.* crater

крáтный *a.* multiple
крáтное числó aliquot, multiple

крахмáл, -а *m.* starch

кремнезём, -а *m.* silica

крéмний, -я *m.* silicon

крéпкий, ая, ое, ие *a.* strong, firm, sturdy, fast
sh. крéпок, крепкá, крéпко

кривóй *a.* crooked, curved, wry
sh. крив, кривá, криво, кривы

кривáя, -ой *f.* curve

кристáлл, -а *f.* crystal

критический, -ая, ое, -ие *a.* critical, crucial

крóме *with gen.* except, besides

круг, -а *m./pl.* кругú, кругóв sphere, circle, range

крýглый *a.* round, circular (in shape)
sh. кругл, круглá, крýгло, крýглы

круговóй *a.* round, circular (movement, etc.)

круговорóт, -а *m.* cycle, rotation, circulation

кругóм *adv.* round, turn round, around

кружиться whirl, spin, go round
кружýсь, кружишься, кружится
p. кружился, кружилась
imp. кружись, кружитесь!

крýпный *a.* large, big, large-scale, great, important
sh. крýпен, крупнá, крýпно, крýпны

крутóй *a.* steep, sudden, abrupt, drastic, strict
sh. крут, крутá, крýто, крýты

крыло́, -а́ *n./pl.* кры́лья, кры́-
льев wing, vane
кры́ша, -и *f.* roof
кры́шка, -и *f.* lid, cover
кста́ти *adv.* by the way
куби́ческий *a.* cubic
культу́ра, -ы *f.* culture, crops
куда́? *adv.* what way? where?
кузне́ц, -а́ *m.* blacksmith
ку́зница -ы *f.* smithy
купа́ться *I/P* вы́купаться bathe,
go bathing
купи́ть *P/I* покупа́ть buy, purchase
I покупа́ю, покупа́ешь
P куплю́, ку́пишь
p. купи́л
imp. купи́!
ppp. ку́пленный
купоро́с, -а *m.* vitriol
кусо́к, куска́ *m./pl.* куски́, -о́в
piece, bit, lump, slice
куст, -а́ *m./pl.* кусты́, -о́в bush
ку́чка, -и *f.* small heap
кюве́т, -а *m.* vessel, drain, ditch,
channel
кю́рий, -я *m.* curium

лаборато́рия, -и *f.* laboratory
лаборато́рный *a.* laboratory
ла́ва, -ы *f.* lava
лак, -а *m.* varnish, lacquer
ла́мпа, -ы *f.* lamp, tube, thermionic valve
лату́нь, -и *f.* brass
латы́нь, -и *f.* Latin
ле́бедь, -я *m./pl.* ле́беди, -е́й swan,
Cygnus (*astr.*)
лебёдка, -и *f.* winch, female swan
лев, льва́ *m./pl.* львы lion
ле́вый *a.* left, left hand
леги́рованная сталь alloy steel
лёгкий *a.* light
sh. лёгок, легка́, -о́, й *or* лёгки
лёгкое, -ого *n.* lung
лёд, льда, льду *m./pl.* льды, льдов
ice
лежа́ть *I* lie, be, be situated
лежу́, лежи́шь

ле́нта, -ы *f.* band, ribbon, tape,
belt
лес, -а *m.* forest, wood, wood-
land
в лесу́ (*pl.* леса́, лесо́в) (also
scaffolding)
лесохими́ческий *a.* forest,
forestry
лета́ть *I* fly (through the air)
лета́ю, лета́ешь
лете́ть *I* (*a concrete movement in a
definite direction*)
лечу́, лети́шь
p. лете́л *imp.* лети́!
лету́чий, ая, ее, ие *a.* volatile
лечи́ть *I* treat medically, cure
лечу́, ле́чишь
p. лечи́л *imp.* лечи́!
ли́бо *cj.* either, or
ли́вень, ли́вня *m.* heavy rain,
downpour, cloudburst, shower
ли́нза, -ы *f.* lens
ли́ния, -и *f.* line
лист, -а́ *m.* leaf, sheet, plate
pl. ли́стья *gen.* ли́стьев leaves
pl. листы́ sheets *gen. pl.*
листо́в
лиша́ть *I/P* лиши́ть deprive,
bereave
I лиша́ю, -а́ешь
P лишу́, лиши́шь
p. лиши́л *imp.* лиши́!
ppp. лишённый
ли́шний *a.* spare, extra, superfluous, unnecessary, odd
лишь but, only, merely
лови́ть *I/P* пойма́ть
I ловлю́, ло́вишь
p. лови́л *imp.* лови́!
P пойма́ю, пойма́ешь
ppp. по́вленный
ло́вкий, ая, ое, ие *a.* adroit, clever,
deft
sh. ло́вок, ловка́, ло́вко
логарифми́ческая лине́йка
slide rule
ло́гика, -и *f.* logic
ло́дка, -и *f.* boat

луг, -а *m./pl.* луга́, -о́в meadow
лу́жа, -ы *f.* puddle, pool
луна́, -ы́ *f.* moon
луч, -а́ *m.* beam, ray
лу́чший, ая, ее, ие *a.* better, best
лу́чше *adv.* better
люби́ть *I/P* полюби́ть love, like, take interest, be fond of, admire
I люблю́, лю́бишь
p. люби́л *imp.* люби́!
любо́й *a.* any
лю́ди, люде́й *pl.* (*sing.* челове́к) people
лю́дям, людьми́, о лю́дях

магази́н, -а *m.* shop, store, magazine, drum, warehouse
магнети́зм, -а *m.* magnetism
ма́гний, -я *m.* magnesium
магни́т, -а *m.* magnet
магни́тный *a.* magnetic
магни́тное по́ле magnetic field
май, -я *m.* May
максима́льный *a.* maximum, highest possible
ма́ксимум, -а *m.* maximum, upper limit
ма́ленький, ая, ое, ие *a.* small, little, slight, diminutive
ма́ло *adv.* little, not enough
ма́лый *a.* small, little, low
sh. мал, мала́, -о́, -ы́
ма́лая величина́ small value
ма́лая оши́бка small error
ма́лое сопротивле́ние low resistance
ма́рганец, ма́рганца *m.* manganese
март, -а *m.* March
марте́новская печь *f.* open-hearth furnace
ма́сло, -а *n.* butter, oil
ма́сса, -ы *f.* mass, wood-pulp, a large amount
масси́вный *a.* massive
sh. масси́вен, масси́вна
ма́ссовый *a.* mass, popular
мастерска́я, -о́й *f.* workshop

мастерство́, -а́ *n.* handicraft, trade, skill, mastership, workmanship
масшта́б, -а *m.* scale
материа́л, -а *m.* material, stuff
матери́к, -а́ *m.* mainland, continent
мате́рия, -и *f.* matter, substance (cloth, fabric)
ма́трица, -ы *f.* matrix
матро́с, -а *m.* sailor, seaman
маши́на, -ы *f.* machine, engine, mechanism, car
маши́нка, -и *f.* typewriter
машиностро́ение, -я *n.* mechanical engineering, machine building
ма́ятник, -а *m.* pendulum, balance
мгнове́ние, -я *n.* instant, moment
ме́дленный *a.* slow
sh. ме́длен, ме́дленен, ме́дленна, ме́дленно
ме́дный *a.* copper, coppery
ме́дный купоро́с copper sulphate
медь, -и *f.* copper
межа́томный *a.* interatomic
ме́жду, меж *prep. with instr.* between, among, amongst
ме́жду тем meanwhile
междунаро́дный *a.* international
межзвёздный *a.* interstellar
межпланётный *a.* interplanetary
мезо́йский, ая, ое, ие *a.* mesozoic
мел, -а *m.* chalk
ме́лкий, ая, ое, ие *a.* fine, small, shallow, shoal, petty, minute
sh. ме́лок, мелка́, ме́лко, ме́лко
ме́лкий потреби́тель small consumer
ме́льница, -ы *f.* mill, pulverizer
мельча́йший, ая, ее, ие *a.* smallest, finest, minute
ме́нее *adv.* less
мени́ск, -а *m.* meniscus
ме́ньше *a. comp. of* less
comp. of ма́лый и ма́ленький lesser, smaller

ме́ньше всего́   least of all
ме́ньший, ая, ее, ие *comp. of*
мáлый и мáленький   smaller,
lesser
меня́ть *I/P* поменя́ть   change,
exchange (also alter)
I меня́ю, -я́ешь   *p.* меня́л
ме́ра, -ы *f.*   measure, dimension,
size, standard, gauge, degree,
extent
по крáйней ме́ре   at least
меридиа́н, -а *m.*   meridian
ме́рить *I*   measure, gauge, try
ме́рю, ме́ришь
p. ме́рил *imp.* мерь!
мерца́ние, -я *n.*   glimmer, scin-
tillation, flickering
ме́стность, -и *f.*   country, locality,
district, region, place
ме́сто, -а *n./pl.* местá   place, spot,
locality, location, site, seat,
position
местоположе́ние, -я *n.*   location,
position
месторожде́ние, -я *n.*   occurrence,
deposit, formation, site
ме́сяц, -а *m.*   month, moon *gen.*
pl. ме́сяцев
металл, -а *m.*   metal
металли́ческий, ая, ое, ие *a.*
metallic
металлурги́ческий, ая, ое, ие *a.*
metallurgical
метáн, -а *m.*   methane
метáть *I/P* метнýть   throw, fling,
cast, project, bring forth
I мечý, ме́чешь
p. метáл *imp.* мечи́!
P метнý, метнёшь
p. метнýл *imp.* метни́!
ppp. мётанный
ме́тод, -а *m.*   method
метр, -а *m.*   metre
метр квадрáтный   square metre
метр куби́ческий   cubic metre
метри́ческий, ая, ое, ие *a.*   metric
механизáция, -и *f.*   mechanization
механи́зм, -а *m.*   mechanism

меха́ник, -а *m.*   mechanical engineer, mechanic
меха́ника, -и *f.*   mechanics
прикладнáя меха́ника   applied
mechanics
мечтá, -ы́ *f.*   dream, day dream,
vision, illusion
мечтáть *I*   dream, day dream
меша́ть *I/P* помеша́ть *with dat.*
hinder, prevent, stir, mix
I меша́ю, меша́ешь
p. меша́л
imp. меша́й!
ppp. ме́шанный
микро́б, -а *m.*   microbe
микро́н, -а *m.*   micron
микроско́п, -а *m.*   microscope
микроскопи́ческий, ая, ое, ие *a.*
microscopic
миллиме́тр, -а *m.*   millimetre
миллио́н, -а *m.*   million
минерáл, -а *m.*   mineral
минерáльный *a.*   mineral
миниатю́рный *a.*   miniature
минимáльный *a.*   minimum
мир, а/у *m.*   world, universe, peace
pl. миры́, -о́в
ми́рный *a.*   peaceful, peace, tranquil, placid
sh. ми́рен, мирнá
мирово́й *a.*   world (*attr.*)
ми́ска, -и *f.*   basin, dish, pan
gen. pl. ми́сок
мише́нь, -и *f.*   target
мне́ние, -я *n.*   opinion, judgement,
estimation
по моемý мне́нию   in my opinion
мни́мый *a.*   imaginary
мни́мое изображе́ние *n.*   virtual
image
мно́гие *a.*   many
мно́го *adv.*   much, a lot, a great
deal
многокрáтный *a.*   multiple, many
times, repeated
многообрáзие, -я *n.*   diversity,
variety
многочи́сленный *a.*   numerous

мно́жество, -а *n.* great number, lots of, great deal, multiplicity, multitude

могу́чий, ая, ее, ие *a.* powerful, mighty

мо́жно *impers. predic.* one can, it is possible, one may

мозг, -а/у *m./pl.* мозги́, -óв brain ко́стный мозг marrow

мозгово́й *a.* cerebral

мо́крый *a.* wet, soggy *sh.* мокр, мокра́, мо́кро, мо́кры мо́крый спо́соб wet process

моле́кула, -ы *f.* molecule

молекуля́рный *a.* molecular

мо́лния, -и *f.* lighting, lightning, cable, *also* zipper, slide fastener

молоко́, á *n.* milk

моль, -и *f.* moth, molecular amount, gram molecule, mole

молодо́й *a.* young

молото́к, молотка́ *m./pl.* молотки́ hammer

моло́чная кислота́ *f.* lactic acid

моме́нт, -а *m.* moment, instant, feature, point

momentáльно *adv.* instantly, on the spot, immediately

мо́ре, -я *n.* sea *pl.* моря́, море́й

моро́з, -а *m.* frost, freezing water

мост, -а *m.* (*pl.* мосты́, мосто́в) bridge на мосту́ on the bridge

мото́р, -а *m.* motor, engine

мочь *I/P* смочь be able *I* могу́, мо́жешь, мо́гут *p.* мог, могла́

мо́щность, -и *f.* output, capacity, power, horsepower

мо́щный *a.* mighty, strong, powerful, high capacity

мра́мор, -а *m.* marble

музе́й, -я *m.* museum

мука́, -и́ *f.* flour

му́скул, -а *m.* muscle

му́тный *a.* turbid

мысли́тель, -я *m.* thinker

мысль, -и *f.* thought, idea, conception

мыть *I/P* вы́мыть wash (clean with water) *I* мо́ю, мо́ешь *p.* мыл *imp.* мой! *ppp.* мы́тый *P* вы́мою, вы́моешь *p.* вы́мыл *imp.* вы́мой! *ppp.* вы́мытый

мы́шца, -ы *f.* muscle

мышья́к, -á/ý *m.* arsenic

мя́гкий, ая, ое, ие *a.* soft, gentle, mild *sh.* мя́гок, мягка́, мя́гко, мя́гки

мя́со, -а *n.* flesh, meat

мяч, -á *m.* ball *gen. pl.* мяче́й

на́бережная, -ой *f.* embankment, quay

набира́ть *I/P* набра́ть gather, collect *I* набира́ю, -áешь *P* наберу́, наберёшь *p.* набра́л, -алá *imp.* набери́! *ppp.* на́бранный

наблюда́ть *I* observe, watch, take care, supervise, control наблюда́ю, -áешь *p.* наблюда́л *imp.* наблюда́й!

набо́р, -а *m.* set assembly, outfit

набра́ть *see* набира́ть

наве́рно *parenth.* probably, most likely

наверху́ *adv.* above, upstairs, on top

нагрева́ть *I/P* нагре́ть heat, warm *I* нагрева́ю, нагрева́ешь *P* нагре́ю, нагре́ешь *ppp.* нагре́тый

нагрева́ние, -я *n.* heating

нагроможде́ние, -я *n.* piling up, conglomeration

над *prep. with instr.* above, over

наде́жда, -ы *f.* hope

надёжный *a.* reliable, safe, secure *sh.* надёжен, надёжна

наде́яться *I* hope, expect, trust
наде́юсь, наде́ешься
p. наде́ялся
imp. наде́йся! наде́йтесь!
на́до *impers. predic.* it is necessary, one should (would)
на́добность, -и *f.* need, necessity
надо́лго *adv.* for a long time
надпи́сывать *I/P* **надписа́ть** superscribe, inscribe
I надпи́сываю, надпи́сываешь
P надпишу́, надпи́шешь
p. надписа́л
imp. надпиши́!
ppp. надпи́санный
на́дпись, -и *f.* inscription, super-scription
наза́д *adv.* back, backwards, ago, before
назва́ние, -я *n.* name, title, de-nomination
назва́ть *see* называ́ть
назе́мный *a.* ground, land
называ́емый *part.* so called, called
называ́ть *I/P* **назва́ть**
I называ́ю, называ́ешь
P назову́, назовёшь
p. назва́л, -ала́, -а́ло, -а́ли
imp. назови́!
ppp. на́званный
наибо́лее *adv. used for superl.* most, the most
наиме́ньший, ая, ое, ие *a. superl.* smallest, least
найти́ *see* находи́ть
нака́ливать *I/P* **накали́ть** heat to incandescence
I нака́ливаю, -аешь
P накалю́, накали́шь
ppp. накалённый
нака́пливать *I/P* **накопи́ть** ac-cumulate, save, pile up, amass, store
I нака́пливаю, -аешь
P накоплю́, нако́пишь
ppp. нако́пленный
накали́ть *see* нака́ливать

нака́чивать *I/P* **накача́ть** pump full
I нака́чиваю, -аешь
P накача́ю, -а́ешь
ppp. нака́чанный
накла́дывать *I/P* **наложи́ть** put, impose
I накла́дываю, -аешь
P наложу́, нало́жишь
p. наложи́л *imp.* наложи́!
ppp. нало́женный
наклони́ть *see* наклоня́ть
накло́нный *a.* inclined, oblique, sloping
наклоня́ть *I/P* **наклони́ть** in-cline, bend, tilt
I наклоня́ю, наклоня́еыь
P наклоню́, накло́нишь
imp. наклони́!
ppp. наклонённый
наконе́ц *adv.* at last, finally
накопи́ть *see* нака́пливать
на́крепко *adv.* fastly, strictly
накрыва́ть *I/P* **накры́ть** cover
I накрыва́ю, -а́ешь
P накро́ю, -о́ешь
imp. накро́й! *ppp.* накры́тый
нала́дить *see* нала́живать
нала́живать *I/P* **нала́дить** mend, repair, restore, train, put the right way
I нала́живаю, -аешь
P нала́жу, нала́дишь
p. нала́дил *imp.* нала́дь!
ppp. нала́женный
наложи́ть *see* накла́дывать
нале́во *adv.* left, to the left, on the left
налива́ть *I/P* **нали́ть** pour, fill
I налива́ю, -а́ешь
P налью́, нальёшь
p. нали́л, на́лил, налила́, на́лило, йло, на́лили, нали́ли
imp. нале́й!
нали́чие, -я *n.* availability, pre-sence
наме́тить *see* намеча́ть

намеча́ть *I/P* **наме́тить**
   p. наме́тил *imp.* наме́ть!
   ppp. наме́ченный
нанести́ *see* наноси́ть
наноси́ть *I/P* **нанести́** bring,
   plot, inflict, deposit, build up
   I наношу́, нано́сишь
   p. наноси́л *imp.* наноси́!
   P нанесу́, нанесёшь
   p. нанёс, -ла́ *imp.* нанеси́!
   ppp. нанесённый
наоборо́т *adv.* on the contrary,
   inversely, the other way round,
   on the other hand
написа́ть *P/I* **писа́ть** write
   I пишу́, пи́шешь
   p. писа́л *imp.* пиши́!
   ppp. напи́санный
напо́лнить *see* наполня́ть
наполня́ть *I/P* **напо́лнить** fill,
   make full
   I наполня́ю, -я́ешь
   P напо́лню, напо́лнишь
   imp. напо́лни!
   ppp. напо́лненный
напомина́ть *I/P* **напо́мнить** re-
   mind, recall, resemble
   I напомина́ю, -а́ешь
   P напо́мню, напо́мнишь
   p. напо́мнил
   imp. напо́мни!
напо́р, -a *m.* pressure, head (of
   liquid)
направле́ние, -я *n.* direction
напра́вить *see* направля́ть
направля́ть *I/P* **напра́вить**
   direct, send, dispatch, aim
   I направля́ю, -я́ешь
   P напра́влю, напра́вишь
   p. напра́вил
   imp. напра́вь!
   ppp. напра́вленный
наприме́р *parenth.* for example,
   for instance
напро́тив *adv.* opposite, on the
   contrary
напряже́ние, -я *n.* voltage, tension (*elect.*), stress

нараста́ть *I/P* **нарасти́** grow,
   build up, increase
   I нараста́ет
   P нарастёт
   p. наро́с, наросла́
наро́д, -a *m.* people, nation
насыще́ние, -я *n.* saturation
натере́ть *see* натира́ть
натира́ть *I/P* **натере́ть** rub,
   polish, rub sore
   I натира́ю, -а́ешь
   P натру́, натрёшь
   p. натёр, натёрла
   imp. натри́! *ppp.* натёртый
на́триевый *a.* sodium
на́трий, -я *m.* sodium
натура́льный *a.* natural
натяже́ние, -я *n.* pull, tension
нау́ка, -и *f.* science
научи́ть *P* teach
   научу́, нау́чишь
   p. научи́л *imp.* научи́!
   ppp. нау́ченный
научи́ться *P* learn
   научу́сь, нау́чишься
   p. научи́лся *imp.* научи́сь!
нау́чный *a.* scientific
   sh. нау́чен, нау́чна, нау́чно,
   нау́чны
находи́ть *I/P* **найти́** find, discover
   I нахожу́, нахо́дишь
   p. находи́л *imp.* находи́!
   P найду́, найдёшь
   p. нашёл, нашла́
   imp. найди́!
   ppp. на́йденный
нача́ло, -a *n.* beginning, com-
   mencement
нача́льный *a.* initial, first, elementary
нача́ть *see* начина́ть
начина́ть *I/P* **нача́ть** begin,
   start, commence
   I начина́ю, начина́ешь
   P начну́, начнёшь
   p. на́чал, начала́, на́чало
   imp. начни́! *ppp.* на́чатый

наш *pron.* our, ours
  наша, наше, наши
небесный *a.* celestial, heavenly
небольшой, ая, ое, ие *a.* not big,
  not great, small
небывалый *a.* unprecedented, un-
  heard, imaginary
неведомый *a.* unknown, unfamiliar, mysterious
невероятный *a.* incredible, un-
  believable, fabulous
невесомый *a.* unponderable,
  weightless
невиданный *a.* unprecedented,
  unknown
невидимый *a.* invisible
невозможно *adv.* it is impossible,
  impossible
невооружённый unarmed
  невооружённый глаз unaided
  eye
недавно *adv.* not a long time ago
недалеко *adv.* not far, near, close
недаром *adv.* not without reason,
  not in vain
неделимый *a.* indivisible
неделя, -и *f.* week
недостаточный *a.* insufficient,
  lacking
недра (*only pl.*) entrails, bowels
  недра земли   bowels of the earth
неживой *a.* inanimate, dead, lifeless
независимый *a.* independent
незнакомый *a.* unfamiliar, unknown
незначительный *a.* unimportant,
  insignificant, negligible, small,
  slight
неизвестный *a.* unknown
неизменный *a.* invariable
неисправный *a.* defective, out of
  order, in repair
  sh. неисправен, неисправна
нейтральный *a.* neutral
  sh. нейтрален
нейтрон, -a *m.* neutron
некоторый *pron.* some, certain

нельзя *impers. pred.* it is impossible, it is not allowed
немало *adv.* not a little, much, a
  considerable amount
немецкий, ая, ое, ие *a.* German
немного *adv.* few, somewhat,
  slightly
немыслимый *a.* unthinkable,
  inconceivable, impossible
ненужный *a.* unnecessary, need-
  less
необходимость, -и *f.* necessity
необходимый *a.* necessary,
  essential
необыкновенный *a.* extraordinary, remarkable
  sh. необыкновенен, необыкно-
  венна
необычный *a.* unusual
  sh. необычен, необычна
неограниченный *a.* unlimited,
  unrestricted
неоднократный *a.* repeated, reit-
  erated
неожиданный *a.* unexpected,
  sudden
неопределённый *a.* indefinite, in-
  determinable
  sh. неопределёнен, неопреде-
  лённа
непременный unfailing, constant,
  certain
  sh. непременен, -енна
непосредственный *a.* direct, immediate, spontaneous
  sh. непосредствен, -енна
неправильный *a.* wrong, erroneous, incorrect
  sh. неправилен, неправильна
непрерывный *a.* continuous, un-
  interrupted
непримениймый *a.* inapplicable
непрозрачный *a.* opaque, not
  transparent
непроницаемый *a.* impenetrable,
  impervious
неравномерный *a.* unevenly, ir-
  regularly

нерастворимый *a.* insoluble

нерв, -а *m.* nerve

нéрвный *a.* nervous, neural

нерéдко *adv.* frequently, often, ordinarily

нéрест -а *m.* spawning period of fish

нéсколько *with gen.* several, some, a few

нести *I det./P* понести carry, bear

несмотря *prep. with accus.* in spite of, despite

несовершéнный *a.* imperfect, incomplete

несомнéнный *a.* indubitable, certain, unquestionable

несправедливый *a.* unjust, unfair

несущая, -ей *f.* carrier wave

нетрудный *a.* not difficult

неудáча, -и *f.* failure, reverse

неуловимый *a.* elusive, imperceptible

неустойчивый *a.* unstable, unsteady

нефть, -и *f.* oil, petroleum

нефтяной *a.* petroleum, oil

неясный *a.* unclear

ни . . . ни . . . *fix. expr.* neither . . . nor

нигдé *adv.* nowhere (not to be found anywhere)

ниже *comp. of* низкий lower, less, below

нижний *a.* lower

низкий, ая, ое, ие *a.* low, poor, short, inferior, base, mean

sh. низок, низка, низко, низки

низковольтный *a.* low voltage

никакой -áя, óе, йе *pron. neg.* none, not one

никогда *adv.* never

никто *pron. neg.* nobody, no one

никого, никому, никого, никéм, ни о ком

никуда *adv.* nowhere (to no place)

нитка, -и *f.* thread

нить, -и *f.* thread, filament

ничего *gen. of* ничто nothing

ничтóжный *a.* insignificant, paltry

sh. ничтóжен, ничтóжна, ничтóжно

но *cj.* but, and, though

нóвый *a.* new, modern, novel, fresh

sh. нов, нóво, нóво, нóвы

ногá, -й *f./pl.* нóги leg, foot

нож, -á *m./pl.* ножи knife

носитель, -я *m.* carrier

носить *I indet. cf.* нести carry, bear

ношу, нóсишь,

p. носил *imp.* носи!

ppp. нóшенный

ночнóй *a.* night

ночь, -и *f.* night

нóчью *adv.* by night

ноябрь, -я *m.* November

нуждá, -ы *f./pl.* нýжды want, poverty, need

нýжно *impers. predic.* it is necessary

нýжный *a.* necessary

sh. нýжен, нужнá, нýжно, нýжны

нуль, -я (ноль) *m./pl.* нули zero, nil, nought

о, об, óбо *with pr.* about, of

óба, *f.* óбе *num.* both

обволáкивать *I/P* обволóчь envelop, wrap

I обволáкиваю, -аешь

P обволоку, обволочёшь, обволокýт

p. обволóк, обволоклá

ppp. обволóченный

обволóчь *see* обволáкивать

обегáть *I/P* обежáть run round, past, outrun

I обегáю, обегáешь

P обегý, обежишь, обегýт

p. обежáл *imp.* обеги!

обежáть *see* обегáть

обезвóживать *I/P* обезвóдить dehydrate

I обезвóживаю

P обезвóжу, обезвóдишь

p. обезвóдил

обеспе́чивать *I/P* обеспе́чить
(*acc.*: *with sthg.- instr.*) provide, secure, insure
I обеспе́чиваю, -аешь
P обеспе́чу, -ишь
imp. обеспе́чь!
ppp. обеспе́ченный

обзо́р, -а *m.* survey, outline

облада́ть *I with instr.* possess,
have
облада́ю, -а́ешь, облада́л

о́блако, -а *n./pl.* облака́, -о́в
cloud

о́бласть, -и *f.* district, field,
sphere

облегча́ть *I/P* облегчи́ть facili-
tate, ease, lighten, relieve,
alleviate
I облегча́ю, -а́ешь
P облегчу́, облегчи́шь
p. облегчи́л *imp.* облегчи́!
ppp. облегчённый

облуча́ть *I/P* облучи́ть irradiate,
treat with radioactive rays
I облуча́ю, -а́ешь
P облучу́, облучи́шь
p. облучи́л *imp.* облучи́!
ppp. облучённый

обме́н, -а *m.* change, exchange
обме́н веще́ств metabolism

обнару́живать *I/P* обнару́жить
reveal, detect, display, discover,
spot
I обнару́живаю, обнару́жива-
ешь
P обнару́жу, обнару́жишь
p. обнару́жил
imp. обнару́жь!
ppp. обнару́женный

обобща́ть *I/P* обобщи́ть general-
ize, summarize
I обобща́ю, -а́ешь
P обобщу́, обобщи́шь
p. обобщи́л *imp.* обобщи́!
ppp. обобщённый

обобще́ние, -я *n.* generalization,
general conclusion

обогати́ть *see* обогаща́ть

обогаща́ть *I/P* обогати́ть
I обогаща́ю, -а́ешь
P обогащу́, обогати́шь
p. обогати́л *imp.* обогати́!
ppp. обогащённый

обогаще́ние, -я *n.* concentration,
dressing

обогну́ть *see* огиба́ть

обогре́в, -а *m.* heating

обогрева́ть *I/P* обогре́ть warm,
heat
I обогрева́ю, -а́ешь
P обогре́ю, -е́ешь
imp. обогре́й!
ppp. обогре́тый

обознача́ть *I/P* обозна́чить denote, sign, signify, designate,
mark
I обознача́ю, -а́ешь
P обозна́чу, обозна́чишь
p. обозна́чил
imp. обозна́чь!
ppp. обозна́ченный

обозрева́ть *I/P* обозре́ть survey,
view, review, look around
I обозрева́ю, -а́ешь
P обозрю́, обозри́шь

обозре́ние, -я *n.* review

обозре́ть *see* обозрева́ть

обойти́сь *see* обходи́ться

оболо́чка, -и *f./pl.* оболо́чки,
оболо́чек envelope, shell

оборо́т, -а *m.* revolution, turn
round

обору́дование, -я *n.* equipment,
outfit, installation, plant

обраба́тывать *I/P* обрабо́тать
work, process, treat
I обраба́тываю, аешь
P обрабо́таю, -аешь
imp. обрабо́тай!
ppp. обрабо́танный

о́браз, -а *m.* image, shape, form

образе́ц, образца́ *m.* sample,
specimen, standard

образова́ние, -я *n.* formation,
generation, production, education

обрати́ть *see* обраща́ть
обра́тно *adv.* back, backwards
обра́тный *a.* reverse, return, opposite
    обра́тная свя́зь feed-back
обраща́ть *I/P* обрати́ть turn, notice, attract
    I обраща́ю, -а́ешь
    P обращу́, обрати́шь
    p. обрати́л
    imp. обрати́!
    ppp. обращённый
обсле́довать *P и I* inspect, examine, investigate
    обсле́дую, обсле́дуешь
    p. обсле́довал
    imp. обсле́дуй!
    ppp. обсле́дованный
обстано́вка, -и *f.* arrangement, situation
обстоя́тельство, -а *n.* circumstance
обсуди́ть *see* обсужда́ть
обсужда́ть *I/P* обсуди́ть discuss, consider, debate
    I обсужда́ю, -а́ешь
    P обсужу́, обсу́дишь
    p. обсуди́л
    imp. обсуди́!
    ppp. обсуждённый
обусло́вить *see* обусло́вливать
обусло́вливать *I/P* обусло́вить condition, stipulate, determine
    I обусло́вливаю, -аешь
    P обусло́влю, обусло́вишь
    p. обусло́вил
    imp. обусло́вь!
    ppp. обусло́вленный
обходи́ться *I/P* обойти́сь go round, do without
    I обхожу́сь, обхо́дишься
    P обойду́сь, обойдёшься
обши́рный *a.* extensive, spacious, vast *sh.* обши́рен, обши́рна, -о, -ы
о́бщий, ая, ее, ие *a.* common, general, total
объедини́ть *see* объединя́ть

объединя́ть *I/P* объедини́ть unite, combine, consolidate
    I обединя́ю, -я́ешь
    P объединю́, объедини́шь
    p. объедини́л
    imp. объедини́!
    ppp. объединённый
объе́кт, -а *m.* object, unit, objective
объекти́в, -а *m.* objective, lens
объём, -а *m.* volume, size, extent
объяви́ть *see* объявля́ть
объявля́ть *I/P* объяви́ть declare, publish, announce
    I объявля́ю, -я́ешь
    P объявлю́, объя́вишь
    p. объяви́л *imp.* объяви́!
    ppp. объя́вленный
обыкнове́нный *a.* usual, ordinary, common
    sh. обыкнове́нен, обыкнове́нна, -о, -ы
обы́чный *a.* usual, ordinary, customary
    sh. обы́чен, обы́чна, -о, ы
обя́занный *a.* obliged
обяза́тельный *a.* obligatory, compulsory, conscientious
овладева́ть *I/P* овладе́ть seize, master, take possession
    I овладева́ю, -а́ешь
    P овладе́ю, -е́ешь
огиба́ть *I/P* обогну́ть go round, round, skirt
    I огиба́ю, огиба́ешь
    P обогну́, обогнёшь
    p. обогну́л *imp.* обогни́!
ого́нь, огня́ *m.*/*pl.* огни́, огне́й fire
ограни́ченный *a.* limited, scanty
    sh. ограни́чен, ограни́ченна, -о, -ы
огро́мный *a.* enormous, huge, vast
    sh. огро́мен, огро́мна, -о, -ы
одева́ть *I/P* оде́ть put on, dress
    I одева́ю, -а́ешь
    P оде́ну, оде́нешь
    p. оде́л *imp.* оде́нь!
    ppp. оде́тый

одеть *see* одевать
одинаковый *a.* identical, the same, equal
однажды *adv.* once, one day
однако *cj.* but, still, yet, however
одновалентный *a.* monovalent
одновременно (*or* одновременно) *adv.* simultaneously, at the same time
одноимённый *a.* similar, analogous, of the same kind
   одноимённые заряды like charges
оживать *I/P* ожить come back to life, revive
   I оживаю, áешь
   P оживу, оживёшь
   p. óжил, ожила, óжило
   imp. оживи!
ожидать *I* expect, wait for, anticipate
   ожидаю, ожидаешь
ожить *see* оживать
ожóг, -a *m.* burn, scald
óзеро, -a *n./pl.* озёра, озёр, озёрам lake
означать *I* mean, signify, denote
   означает
озóн, -a *m.* ozone
оказать *see* оказывать
оказывать *I/P* оказать render, show, give, exert
   I оказываю, -аешь
   P окажу, окáжешь
   p. оказал *imp.* окажи!
   ppp. оказанный
океáн, -a *m.* ocean
óкисел, óкисла *m.* oxide
окислéние, -я *n.* oxidation
окислить *see* окислять
окислять *I/P* окислить oxidize
   I окисляю, -яешь
   P окислю, окислишь
   ppp. окислённый
óкись, -и *f.* oxide, especially higher oxide
окнó, -á *n./pl.* óкна, óкон, óкнам window, opening

óколо *with gen.* by, near, around, about
окóнный *a.* window
окончáние, -я *n.* finishing, end, termination, completion
окончáтельный *a.* finishing, final
   sh. окончáтелен, окончáтельна, -о, -ы
окрáска, -и *f.* colouring, painting, tint
окрáсить *see* окрáшивать
окрáшивать *I/P* окрáсить colour, paint, dye, tint
   I окрáшиваю, -аешь
   P окрáшу, окрáсишь
   p. окрáсил
   ppp. окрáшенный
окружáть *I/P* окружить surround, encircle, round up, enclose
   I окружáю, -áешь
   P окружý, окружишь
   p. окружил *imp.* окружи!
   ppp. окружённый
окрýжность, -и *f.* circle, circumference
октябрь, октября *m.* October
óлово, -a *n.* tin
омывáть *I/P* омыть wash
   I омывáю, áешь *p.* омывал
   P омóю, омóешь *p.* омыл
опáсный *a.* dangerous
   sh. опáсен, опáсна, -о, -ы
операция, -и *f.* operation
опирáться *I/P* оперéться rest on, lean on
   I опирáюсь, опирáешься
   P обопрýсь, обопрёшься
   p. опёрся, оперлáсь
   imp. обопрись!
описáть *see* описывать
описывать *I/P* описáть describe, depict, circumscribe
   I описываю, -аешь
   P опишý, опишешь
   p. описáл
   imp. опиши!
   ppp. описанный

опо́ра, -ы *f.* support, point of balance

определе́ние, -я *n.* definition, determination

определённый *a.* definite, certain, established
sh. определёнен, определённа, -ённо

определя́ть *I/P* определи́ть define, determine, establish
I определя́ю, -я́ешь
P определю́, определи́шь
p. определи́л
imp. определи́!
ppp. определённый

о́птика, -и *f.* optics

оптима́льный *a.* optimum

опублико́вывать *I/P* опублико-ва́ть publish

опубликова́ть *P/I* публикова́ть publish
imp. опубликуй!
ppp. опублико́ванный

опуска́ть *I/P* опусти́ть lower, sink, drop, turn down, take down, omit
I опуска́ю, -а́ешь
P опущу́, опу́стишь
p. опусти́л *imp.* опусти́!
ppp. опу́щенный

о́пыт, -а *m.* experiment, test, trial, experience

опя́ть *adv.* again, once more

ора́нжевый *a.* orange colour

орби́та, -ы *f.* orbit

о́рган, -а *m.* organ

организа́ция, -и *f.* organization

органи́зм, -а *m.* organism

органи́ческий, ая, ое, ие *a.* organic

ору́дие, -я *n.* instrument, implement, tool, gun

ору́жие, -я *n.* arms, weapon

осади́ть *see* осажда́ть

оса́док, оса́дка *m.* sediment, deposition, precipitation

оса́дка, -и *f.* settlement, sagging, sag, sedimentation

осажда́ть *I* precipitate, separate, besiege
осажда́ю, -а́ешь

освети́ть *see* освеща́ть

освеща́ть *I/P* освети́ть illuminate, light up, elucidate
I освеща́ю, -а́ешь
P освещу́, освети́шь
p. освети́л *imp.* освети́!
ppp. освещённый

освеще́ние, -я *n.* light, lighting, illumination, elucidation

освободи́ть *see* освобожда́ть

освобожда́ть *I/P* освободи́ть liberate, free, release, clear out
I освобожда́ю, -а́ешь
P освобожу́, освободи́шь
p. освободи́л
imp. освободи́!
ppp. освобождённый

освобожде́ние, -я *n.* liberation, emancipation, release

освое́ние, -я *n.* mastering, coping, assimilation

о́сень, -и *f.* autumn, fall

осла́бить *see* ослабля́ть

ослабле́ние, -я *n.* weakening, attenuation, relaxation

ослабля́ть *I/P* осла́бить weaken, ease, relax
I ослабля́ю, -я́ешь
P осла́блю, осла́бишь
p. осла́бил *imp.* осла́бь!
ppp. осла́бленный

осма́тривать *I/P* осмотре́ть look round, examine
I осма́триваю, -аешь
P осмотрю́, осмо́тришь
p. осмотре́л *imp.* осмотри́!
ppp. осмо́тренный

осмо́тр, -а *m.* inspection

осно́ва, -ы *f.* base, basis, foundation, fundamentals, stem

основа́ние, -я *n.* foundation, base, grounds

основа́ть *see* осно́вывать

основно́й *a.* fundamental, basic, principal

основополо́жник, -а *m.* founder,
  initiator
осно́вывать *I/P* основа́ть base,
  found
  I осно́вываю, -аешь
  P осную́, оснуёшь
  p. основа́л *ppp.* осно́ванный
осо́бенно *adv.* especially, par-
  ticularly
осо́бенность *f.* peculiarity
осо́бый *a.* special, particular,
  peculiar
остава́ться *I/P* оста́ться remain
  I остаю́сь, остаёшься
  p. остава́лся
  imp. остава́йся!
  P оста́нусь, оста́нешься
  p. оста́лся, оста́лась
  imp. оста́нься!
оста́вить *see* оставля́ть
оставля́ть *I/P* оста́вить leave,
  abandon
  I оставля́ю, -я́ешь
  P оста́влю, оста́вишь
  p. оста́вил *imp.* оста́вь!
  ppp. оста́вленный
остально́й *a.* the rest, remainder,
  remaining
остана́вливать *I/P* останови́ть
  stop, detain, suspend
  I остана́вливаю, -аешь
  P остановлю́, остано́вишь
  p. останови́л
  imp. останови́!
  ppp. остано́вленный
остано́вка, -и *f.* stop, halt, suspension
оста́ток, оста́тка *m./pl.* оста́тки
  remainder, rest, residue
осторо́жный *a.* careful, cautious
о́стрый *a.* sharp, acute
  sh. остр, остра́, о́стро, о́стры
остыва́ть *I/P* осты́ть cool down,
  get cold (*intrans.*)
  I остыва́ю, -а́ешь
  P осты́ну, осты́нешь
  p. осты́л *imp.* осты́нь!
осуществи́ть *see* осуществля́ть

осуществля́ть *I/P* осуществи́ть
  realize, come true, fulfil
  I осуществля́ю, -я́ешь
  P осуществлю́, осуществи́шь
  p. осуществи́л!
  imp. осуществи́!
  ppp. осуществлённый
ось, о́си *f./pl.* о́си, осе́й axis, axle,
  pin
от *prep. with gen.* from
отве́рстие, -я *n.* opening, hole,
  aperture, orifice
отвести́ *see* отводи́ть
отве́т, -а *m.* answer, reply
отве́тить *see* отвеча́ть
отве́тственный *a.* responsible
отвеча́ть *I/P* отве́тить answer,
  reply
  I отвеча́ю, -а́ешь
  P отве́чу, отве́тишь
  p. отве́тил *imp.* отве́ть!
  ppp. отве́ченный
отводи́ть *I/P* отвести́ take aside,
  withdraw, remove, reject
  I отвожу́, отво́дишь
  p. отводи́л *imp.* отводи́!
  P отведу́, отведёшь
  p. отвёл, -ла́ *imp.* отведи́!
  ppp. отведённый
отдава́ть *I/P* отда́ть return, give
  back, give up
  I отдаю́, -аёшь
  p. отдава́л *imp.* отдава́й!
  P отда́м, отда́шь, отда́ст, отда-
  ди́м, отдади́те, отдаду́т
  p. о́тдал отдала́, о́тдало,
  о́тдали
  imp. отда́й! отда́йте!
  ppp. о́тданный
отдалённый *a.* distant, remote
отда́ть *see* отдава́ть
отда́ча, -и *f.* return, efficiency,
  output, recoil
отде́л, -а *m.* separation, compart-
  ment, section
отделе́ние, -я *n.* partition, division,
  section
отдели́ть *see* отделя́ть

отде́льный *a.* separate
отделя́ть *I/P* отдели́ть separate, get detached, disjoin
  I отделя́ю, -я́ешь
  P отделю́, отде́лишь
  p. отдели́л *imp.* отдели́!
  ppp. отделённый
отдохну́ть *see* отдыха́ть
о́тдых, -а *m.* rest
отдыха́ть *I/P* отдохну́ть rest
  I отдыха́ю, -а́ешь
  P отдохну́, отдохнёшь
  p. отдохну́л *imp.* отдохни́!
о́тжиг, -а *m.* annealing, tempering
отка́чивать *I/P* откача́ть evacuate, pump out
  I отка́чиваю, -аешь
  p. отка́чивал
  P откачаю, -а́ешь
  p. откача́л
откла́дывать *I/P* отложи́ть put aside, plot on a graph
отклони́ть *see* отклоня́ть
отклоня́ть *I/P* отклони́ть decline, deflect, diverge, deviate
  I отклоня́ю, -я́ешь
  P отклоню́, откло́нишь
  p. отклони́л *imp.* отклони́!
  ppp. отклонённый
открыва́ть *I/P* откры́ть open, discover, reveal
  I открыва́ю, -а́ешь
  P откро́ю, откро́ешь
  p. откры́л *imp.* откро́й!
  ppp. откры́тый
откры́тие, -я *n.* opening, discovery
откры́тый *a.* open, discovered, revealed, unveiled
откры́ть *see* открыва́ть
отку́да *adv.* where from, whither, from which
отлага́ть *I/P* отложи́ть deposit, precipitate
  I отлага́ю, -а́ешь
  P отложу́, отло́жишь
  imp. отложи́!
  ppp. отло́женный

отлича́ть *I/P* отличи́ть distinguish, differentiate
  I отлича́ю, -а́ешь
  P отличу́, отличи́шь
  p. отличи́л *imp.* отличи́!
  ppp. отличённый
отличи́ть *see* отлича́ть
отли́чный *a.* different, excellent, perfect
  sh. отли́чен, отли́чна, -о, -ы
отме́тить *see* отмеча́ть
отмеча́ть *I/P* отме́тить note, mark, mention
  I отмеча́ю, -а́ешь
  P отме́чу, отме́тишь
  p. отме́тил *imp.* отме́ть!
  ppp. отме́ченный
отнести́ *see* относи́ть
относи́тельно *adv. with gen.* concerning, relatively
относи́ть *I/P* отнести́ carry away, attribute to
  I отношу́, отно́сишь
  p. относи́л *imp.* относи́!
  P отнесу́, отнесёшь
  p. отнёс, отнесла́
  imp. отнеси́! *ppp.* отнесённый
отноше́ние, -я *n.* relation, ratio, attitude, regard
отобража́ть *I/P* отобрази́ть reflect, represent
  I отобража́ю, -а́ешь
  P отображу́, отобрази́шь
  p. отобрази́л
  imp. отобрази́!
о́трасль, -и *f.* branch, field, sphere
отре́зок, отре́зка *m.* section, length, fragment
отрица́тельный *a.* negative, unfavourable
  sh. отрица́телен, отрица́тельна, -о, -ы
отро́сток, отро́стка *m.* offshoot branch
отры́в, -а *m.* tear, break
отсу́тствовать *I* be absent
  отсу́тствую, -уешь
  p. отсу́тствовал

отсю́да *adv.* from here, hence

отта́лкивать *I*/*P* оттолкну́ть repel, push away, alienate, thrust aside
  I отта́лкиваю, -аешь
  P оттолкну́, оттолкнёшь
  p. оттолкну́л
  imp. оттолкни́!
  ppp. оттолкнутый

отту́да *adv.* thence, from there

отта́гивать *I*/*P* оттяну́ть draw off, delay
  I оття́гиваю, -аешь
  p. отта́гивал
  P оттяну́, отта́нешь
  p. оттянул *imp.* оттяни!
  ppp. отта́нутый

отходи́ть *I*/*P* отойти́ diverge, depart from, withdraw
  I отхожу́, отхо́дишь
  p. отходи́л *imp.* отходи́!
  P отойду́, отойдёшь
  p. отошёл отошла́
  imp. отойди́!

отхо́ды *pl.* by-products, waste products

отчётливый *a.* distinct

охлади́ть *see* охлажда́ть

охлажда́ть *I*/*P* охлади́ть cool, quench
  I охлажда́ю, -а́ешь
  p. охлажда́л
  P охлажу́, охлади́шь
  p. охлади́л *imp.* охлади́!
  ppp. охлаждённый

охраня́ть *I*/*P* охрани́ть protect, safeguard
  I охраня́ю-, яешь
  p. охраня́л
  P охраню́, охрани́шь
  p. охрани́л *imp.* охраня́й!
  ppp. охранённый

очеви́дно *parenth.* obviously, apparently, manifestly

о́чень *adv.* very, very much, greatly

очередно́й *a.* next, next in turn, usual, regular

о́черк, -а *m.* sketch, essay

очи́стка, -и *f.* purification, cleaning, refinement

очи́стить *see* очища́ть

очища́ть *I*/*P* очи́стить clear, refine, purify
  I очища́ю, -аешь
  P очи́щу, очи́стишь
  p. очи́стил *imp.* очи́сть!
  ppp. очи́щенный

очки́, очко́в *pl.* spectacles, eyeglasses

ошиба́ться *I*/*P* ошиби́ться make mistakes, be mistaken, be at fault
  I ошиба́юсь, ошиба́ешься
  P ошибу́сь, ошибёшься
  p. ошибся, ошиблась
  imp. ошиби́сь!

оши́бка, оши́бки *f.* mistake, error
  pl. оши́бки, оши́бок

оши́бочный *a.* erroneous

ощути́ть *see* ощуща́ть

ощуща́ть *I*/*P* ощути́ть feel, sense
  I ощуща́ю, -аешь
  P ощущу́, ощути́шь
  p. ощути́л *imp.* ощути́!
  ppp. ощущённый

ощуще́ние, -я *n.* feeling, sensation

па́дать *I*/*P* па́сть/упа́сть fall, drop, slump, die
  I па́даю, па́даешь
  P паду́, падёшь
  p. пал, па́ла
  P упаду́, упадёшь
  p. упал, упала *imp.* упади́!

паде́ние, -я *n.* falling, fall, drop, downfall, incidence

па́лец, па́льца *m.* finger, toe, pin, cam

па́лочка, -и *f.* small stick, baton, wand, cane, rod, bacillus

па́мятник, -а *m.* memorial, monument, tombstone

пар, -а/у *m.*/*pl.* пары́, паро́в vapour, steam

па́ра, -ы *f.* pair, couple
пара́бола, -ы *f.* parabola
паралле́льный *a.* parallel
   sh. паралле́лен, паралле́льна,
   -о, -ы
парамагни́тный *a.* paramagnetic
пара́метр, -а *m.* parameter
парово́й *a.* steam
   парово́е отопле́ние steam heating = central heating
парово́з, -а *m.* steam engine,
   locomotive
парохо́д, -а *m.* steamship
па́рус, -а *m./pl.* паруса́, парусо́в
   sail
па́спорт, -а *m.* passport, certificate
   pl. паспорта́, паспорто́в
пассажи́р, -а *m.* passenger
пате́нт, -а *m.* patent
па́ять *I* solder
   пая́ю, пая́ешь
пеленга́ция, -и *f.* direction finding
пе́пел, *m. gen.* пе́пла ashes,
   cinder
первобы́тный *a.* primitive, prim-
   ordial, primeval
первонача́льный *a.* primary,
   original
пе́рвый *num.* first
перева́ривать *I/P* перевари́ть
   digest, cook again
   I перева́риваю, -аешь
   P переварю́, перева́ришь
    p. перевари́л *imp.* перевари́!
    ppp. перева́ренный
перево́д, -а *m.* translation, trans-
   ference
перего́нка, -и *f.* distillation, vola-
   tilization, sublimation
перегрева́ть *I/P* перегре́ть warm,
   overwarm, overheat
   I перегрева́ю, -аешь superheat,
   overheat
   P перегре́ю, -е́ешь
    p. перегре́л *imp.* перегре́й!
    ppp. перегре́тый
перегру́зка, -и *f.* overload, over-
   work

перегружа́ть *I/P* перегрузи́ть
   overload, overburden, sur-
   charge
   I перегружа́ю, -а́ешь
   P перегружу́, перегру́зишь
    p. перегрузи́л
    imp. перегрузи́!
    ppp. перегру́женный
пе́ред, пе́редо *prep. with instr.* before, in front of
передава́ть *I/P* переда́ть pass
   on, transfer, reproduce, trans-
   mit, convey, communicate
   I передаю́, передаёшь
   P переда́м, -да́шь, -да́ст, -дади́м,
    -дади́те, -даду́т
    p. пе́редал, передала́, пе́ре-
    дало, пе́редали
    imp. передай!
    ppp. пе́реданный
переда́тчик, -а *m.* transmitter
переда́ча, -и *f.* transmission
передвига́ть *I/P* передви́нуть
   move, remove, progress
   I передвига́ю, -а́ешь
   P передви́ну, -ешь
    p. передви́нул
    imp. передви́нь!
    ppp. передви́нутый
перека́чивать *I/P* перекача́ть
   pump over
   I перека́чиваю, перека́чиваешь
   P перекача́ю, перекача́ешь
    p. перекача́л *imp.* перекача́й!
    ppp. перека́чанный
пе́рекись, -и *f.* peroxide
перелива́ние кро́ви blood trans-
   fusion
переме́нный *a.* variable
   переме́нный ток alternating
   current
переме́шивать *I/P* перемеша́ть
   mix, intermix, intermingle,
   shuffle, stir, rabble
   I переме́шиваю, -аешь
   P перемеша́ю, -а́ешь
    p. перемеша́л *imp.* перемеша́й!
    ppp. переме́шанный

перемещéние, -я *n.* displacement, shift

перемещённый *a.* displaced

sh. перемещён, перемещена, -енó, -ены

переноси́ть *I/P* **перенести́** carry over, transfer

I переношу́, перенóсишь

p. переноси́л *imp.* переноси́!

P перенесу́, перенесёшь

p. перенёс, -ла́ *imp.* перенеси́!

ppp. перенесённый

переполня́ть *I/P* **перепóлнить** overfill, overflow

I переполня́ю, -я́ешь

P перепóлню, -ишь

p. перепóлнил

imp. перепóлни!

ppp. перепóлненный

перерабáтывать *I/P* **переработáть** treat, refine, rework

I перерабáтываю, -аешь

P переработáю, -аешь

p. переработáл

imp. переработáй!

ppp. переработáнный

перерыв, -а *m.* break, interval, interruption

пересекáть *I/P* **пересéчь** cross, intersect, cut

I пересекáю, áешь

P пересеку́, пересечёшь

p. пересéк, -кла́

imp. пересеки́!

ppp. пересечённый

пересечéние, -я *n.* intersection, crossing

перескáкивать *I/P* **перескочи́ть** jump over, skip

I перескáкиваю, -аешь

P перескочу́, перескóчишь

p. перескочи́л *imp.* перескочи́!

пересмóтр, -а *m.* revision, review

переставáть *I/P* **перестáть** stop, cease

I перестаю́, -ёшь

P перестáну, -áнешь

p. перестáл *imp.* перестáнь!

перехóд, -а *m.* passage, transition

переходи́ть *I/P* **перейти́** get across/over, pass on, turn into

I перехожу́, перехóдишь

P перейду́, перейдёшь

p. перешёл, перешла́

imp. перейди́!

пéречень, пéречня enumeration, list, register, inventory

перечисля́ть *I/P* **перечи́слить** enumerate, transfer, mention

I перечисля́ю, -я́ешь

P перечи́слю, перечи́слишь

p. перечи́слил

imp. перечи́сли!

ppp. перечи́сленный

перио́д, -а *m.* period, epoch, age

перио́д полураспáда half life period

периоди́ческий, ая, ое, ие *a.* periodic

перó, -á *n./pl.* пéрья, пéрьев nib, stylus, feather

перпендикуля́рный *a.* perpendicular

перспекти́ва, -ы *f.* perspective, aspect

песóк, пескá *m.* sand

песчáный *a.* sandy

песчи́нка, -и *f.* grit, grain of sand

пéтля, -и *f.* loop, hole, eye, stitch

pl. пéтли, пéтель, пéтлям

пéчень, -и *f.* liver

пéчь, -й (*dim.* пéчка) *f.* oven, stove, furnace *pl.* пéчи, печéй

печь *I/P* **испéчь** bake, scorch

I пеку́, печёшь

p. пёк, пеклá *imp.* пеки́!

ppp. печённый

писáть *I/P* **написáть** write

I пишу́, пи́шешь

p. писáл *imp.* пиши́!

ppp. пи́санный

питáние, -я *n.* nutrition, nourishment, feeding, supply

питáтельный *a.* nourishing, nutritious

sh. питáтелен, питáтельна, -о, -ы

пить *I/P* вы́пить   drink
I пью, пьёшь
   p. пил, пила́   *imp.* пей!
   ppp. вы́питый
пи́ща, -и *f.*   food
пищеваре́ние, -я *n.*   digestion
пла́вать/плыть *I*   swim, float, sail,
   navigate, drift
   пла́ваю, -аешь *p.* пла́вал
   плыву́ -ёшь   плыл -а́ -о -и
пла́вить *I/P* распла́вить   melt,
   smelt, fuse, flux
   пла́влю, пла́вишь
   p. пла́вил   *imp.* плавь!
   ppp. пла́вленный
плавле́ние, -я *n.*   smelting, melting, fusion
пла́зма, -ы *f.*   plasma
пла́мя, пла́мени *n.*   flame
план, -а *m.*   plan
плане́та, -ы *f.*   planet
пласт, -а́ *m.*   layer, stratum, bed
пласти́нка, -и *f.*   plate, lamina,
   record, lamella
пластма́сса, -ы *f.*   plastic
пла́тина, -ы *f.*   platinum
платфо́рма, -ы *f.*   platform
плащ, -а́ *m.*   cloak, raincoat
плёнка, -и *f. gen. pl.* плёнок
   film, pellicle
плечо́, -а́ *n.*   shoulder, arm of a
   force *pl.* пле́чи, плеч, плеча́м
плита́, -ы́ *f.*   plate, slab, stove
   pl. пли́ты, плит, пли́там
пло́ский, ая, ое, ие *a.*   flat, plane
   sh. пло́сок, плоска́, пло́ско,
      пло́ски
плоти́на, -ы *f.*   dam, weir, dyke,
   dike
пло́тность, -и *f.*   density, solidity,
   compactness
пло́тный *a.*   compact, dense, close,
   thick
   sh. пло́тен, плотна́, -о, -ы
плохо́й, а́я, о́е, и́е *a.*   bad
   sh. плох, плоха́, пло́хо, пло́хи
пло́щадь, -и *f.*   square, place, area,
   space

плуто́ний, -я *m.*   plutonium
по *with dat.*   along, on, according
   to
побежда́ть *I/P* победи́ть   con-
   quer, gain victory, defeat, overcome
I побежда́ю, -аешь
P 1*st pers. not used* победи́шь,
   победи́л
   imp. победи́!
   ppp. побеждённый
поби́ть *see* бить
поблизости *adv.*   nearby, near at
   hand, hereabouts
пова́ренная соль *f.*   common salt
поведе́ние, -я *n.*   conduct, behaviour, deportment
пове́рх *prep. with gen.*   over
пове́рхностный *a.*   superficial
   sh. пове́рхностен, пове́рхност-
      на, -о, -ы
пове́рхность, -и *f.*   surface
по-ви́димому *parenth.*   apparently,
   in all probability, evidently
повлия́ть *see* влия́ть
повора́чивать *I/P* поверну́ть
   turn
I повора́чиваю, -аешь
P поверну́, повернёшь
   p. поверну́л
   imp. поверни́!
повыша́ть *I/P* повы́сить   rise,
   increase, heighten, raise
I повыша́ю, -аешь
P повы́шу, повы́сишь
   p. повы́сил   *imp.* повы́сь!
   ppp. повы́шенный
погаси́ть *see* гаси́ть
погаснуть *P/I* га́снуть   go out,
   die out
P пога́сну, пога́снешь
   p. пога́с, пога́сла
погиба́ть *I/P* поги́бнуть   perish
I погиба́ю, -а́ешь
P поги́бну, поги́бнешь
   p. поги́б, поги́бла
   imp. поги́бни!
поги́бнуть *see* ги́бнуть

поглощáть *I/P* **поглотйть** devour, absorb
  I поглощáю, -áешь
  P поглощý, поглóтишь
    p. поглотйл *imp.* поглотй!
    ppp. поглощённый
поглядéть *see* глядéть
погóда, -ы *f.* weather
пограничный *a.* frontier, border, marginal
погрéшность, -и *f.* error
под *with acc. when motion, or with instr.* under, beneath, in the environs
подавáть *I/P* **подáть**
  I подаю́, -аёшь, -ёт, -ём, -ёте, -ю́т
    p. подавáл *imp.* подавáй!
    ppp. пóданный
подарйть *see* дарйть
подвергáть *I/P* **подвéргнуть** submit to, subject, expose
  I подвергáю, -áешь
  P подвéргну, -ешь
    p. подвéрг/подвéргнул, подвéргла
    imp. подвéргни!
    ppp. подвéрженный, подвéргнутый
подвижнóй *a.* mobile, movable, travelling, rolling
подготáвливать *I/P* **подготóвить** prepare
  I подготáвливаю, -аешь
  P подготóвлю, -ишь
    p. подготóвил
    imp. подготóвь!
поддéрживать *I/P* **поддержáть** maintain, support
  I поддéрживаю, -аешь
  P поддержý, поддéржишь
    p. поддержáл
    imp. поддержй!
    ppp. поддéржанный
подéйствовать *P/I* **дéйствовать** act, operate
  P подéйствую, -ешь, подéйствовал *imp.* подéйствуй!
подержáть *see* держáть

подзéмный *a.* underground, subterranean
подковáть *see* ковáть
пóдлинный *a.* authentic, genuine, original
поднимáть *I/P* **поднять** raise up, lift, uplift
  I поднимáю, -áешь
  P подниму́, поднимешь
    p. пóднял, подняла́, пóдняло, пóдняли
    imp. подними! *ppp.* пóднятый
подóбный *a.* подóбен, подóбна, о, ы similar, like
подрóбный *a.* detailed, minute
  sh. подрóбен, подрóбна, -о, ы
подря́д, -а *m.* contract (for building, etc.)
подря́д *adv.* running, in succession, on end
подсчёт, -а *m.* calculation
подсчитывать *I/P* **подсчитáть** calculate, count
  I подсчитываю, -ешь
  P подсчитáю, -áешь
    p. подсчитáл
подтверждáть *I/P* **подтвердить** confirm, corroborate, acknowledge
  I подтверждáю, -áешь
  P подтвержý, подтвердишь, подтвердил
    imp. подтверди!
    ppp. подтверждённый
подумáть *see* дýмать
подчёркивать *I/P* **подчеркнýть** underline, emphasize, stress on
  I подчёркиваю, -аешь
  P подчеркнý, подчеркнёшь
    p. подчеркнýл
    imp. подчеркни!
    ppp. подчёркнутый
подчинять *I/P* **подчинить** subordinate
  I подчиня́ю, -я́ешь
  P подчиню́, подчинишь
    p. подчинил *imp.* подчини!
    ppp. подчинённый

подши́пник, -а *m.* bearing
подыша́ть *see* дыша́ть
пожа́р, -а *m.* fire, conflagration
пожела́ть *see* желать
позволя́ть *I/P* позво́лить allow,
  permit
  I позволя́ю, -я́ешь
  P позво́лю, позво́лишь
  p. позво́лил *imp.* позво́ль!
  ppp. позво́ленный
позвоно́чник, -а *m.* spine, verte-
  bral column
по́здний, яя, ее, ие *a.* late
по́зже *comp. of* по́здний *& adv.*
  later
познава́ть *I/P* позна́ть get to
  know
  I познаю́, познаёшь
  p. познава́л *imp.* познава́й!
  P позна́ю, -а́ешь, позна́л
  imp. позна́й! *ppp.* по́знанный
позна́ние, -я *n.* cognition, knowledge
пойма́ть *see* лови́ть catch
пока́ *adv. & cj.* so far, for the
  time, while, till
показа́ние, -я *n.* reading, indication, aspect, evidence
показа́тель, -я *m.* indicator, in-
  dex, exponent
показа́ться *see* каза́ться
пока́зывать *I/P* показа́ть show,
  register, display, read, indicate,
  point
  I пока́зываю, -ешь
  P покажу́, пока́жешь
  p. показа́л *imp.* покажи́!
  ppp. пока́занный
покида́ть *I/P* поки́нуть abandon,
  leave, desert
  I покида́ю, -а́ешь
  P поки́ну, поки́нешь
  p. поки́нул *imp.* поки́нь!
  ppp. поки́нутый
поко́й, -я *m.* rest, equilibrium,
  repose, peace
поколеба́ться *see* колебаться
покро́в, -а *m.* cover, covering

покрыва́ть *I/P* покры́ть cover
  I покрыва́ю, -а́ешь
  P покро́ю, покро́ешь
  p. покры́л *imp.* покро́й!
  ppp. покры́тый
поку́пка, -и *f.* purchasing, purchase *gen. pl.* поку́пок
пол, -а *m.* sex, floor *pl.* полы́, поло́в,
  floors по́лы, поло́в sexes
по́ле, -я *n.* field, margin, brim
  высокочасто́тное по́ле high frequency field
  магни́тное по́ле magnetic field
  потенциа́льное по́ле potential
  field
  по́ле тяготе́ния field of gravitation
поле́зный *a.* useful, helpful
  sh. поле́зен, поле́зна, -о, -ы
  поле́зные ископа́емые mineral
  deposits
  поле́зная нагру́зка payload
полёт, -а *m.* flight, flying
полиме́р, -а *m.* polymer
политехни́ческий, ая, ое, ие *a.*
  polytechnic, polytechnical
по́лный *a.* full, complete
  sh. по́лон, полна́, по́лно, по́лны
полови́на, -ы *f.* half
поло́гий, ая, ое, ие *a.* gentle, sloping
положе́ние, -я *n.* position, attitude, state
положи́ть *P/I* класть put, put
  down, lay down
  I кладу́, кладёшь
  p. клал *imp.* клади́!
  P положу́, поло́жишь
  p. положи́л *imp.* положи́!
  ppp. поло́женный
положи́тельный *a.* positive, de-
  pendable
  sh. положи́телен, положи́те-
  льна, -о, -ы
полоса́, -ы́ *f. acc.* полосу́ *&*
  по́лосу *pl.* по́лосы stripe
  strap, band, period, zone, belt,
  полоса́ пропуска́ния band-
  width (radio)

по́лость, -и *f.* cavity

полтора́ *with gen. num.* one and a half

полу *prefix* half, semi

полуо́стров, -а *m.* peninsula

полупроводни́к, -а́ *m.* semi-conductor

получа́ть *I/P* **получи́ть** receive, get, obtain, prepare (*chemistry*)
 I получа́ю, -а́ешь
 P получу́, полу́чишь
 p. получи́л
 imp. получи́!

полуша́рие, -я *n.* hemisphere

по́льза, -ы *f.* use, benefit, advantage

по́льзоваться *I/P* **воспо́льзова-ться** *with instr.* make use, profit, avail oneself
 I по́льзуюсь, по́льзуешься
 p. по́льзовался
 imp. по́льзуйся! по́льзуйтесь!

полюби́ть *see* люби́ть love, like

по́люс, -а *m.* pole

поля́рный *a.* polar

помеща́ть *I/P* **помести́ть**
 I помеща́ю, -а́ешь
 P помещу́, помести́шь
 p. помести́л *imp.* помести́!
 ppp. помещённый

поми́мо *prep. with gen.* besides, apart

по́мнить *I* bear in mind
 I по́мню, по́мнишь
 p. по́мнил *imp.* по́мни!

помога́ть *I/P* **помо́чь** help, assist
 I помога́ю, -а́ешь
 P помогу́, помо́жешь помо́гут
 p. помо́г, помогла́
 imp. помоги́!

по́мощь, -и *f.* help, aid, assistance

понижа́ть *I/P* **пони́зить** lower, decrease, drop
 I понижа́ю, -а́ешь
 P пони́жу, пони́зишь
 p. пони́зил
 ppp. пони́женный

понима́ть *I/P* **поня́ть** understand
 I понима́ю, -а́ешь
 P пойму́, поймёшь
 p. по́нял, поняла́, по́няло, по́няли
 ppp. по́нятый

попада́ть *I/P* **попа́сть** hit, strike, get, find oneself
 I попада́ю, попада́ешь
 P попаду́, попадёшь
 p. попа́л
 imp. попади́!

попере́к *adv. and prep. with gen.* across

попере́чный *a.* diametrical, transversal, cross-cut

попро́бовать *see* про́бовать

попы́тка, -и *f.* attempt, endeavour

пора́, -ы́ *f.* time, period

пора́ *impers. pred.* it is time

поража́ть *I/P* **порази́ть** startle
 I поража́ю, поража́ешь
 P поражу́, порази́шь
 p. порази́л
 imp. порази́!
 ppp. поражённый

поро́да, -ы *f.* rock, species, stratum, genus, geological formation

по́рох, -а *m.* gunpowder

по́ртить *I/P* **испо́ртить** damage, irrepair, spoil
 I по́рчу, по́ртишь
 p. по́ртил
 imp. порть!

по́рча, -и *f.* damage, deterioration, breakage

по́ршень, по́ршня *m.* piston

поря́док, поря́дка *m.* form, sequence, arrangement, order

поса́дка, -и *f.* landing, fit, plantation

посвяща́ть *I/P* **посвяти́ть**
 I посвяща́ю, -а́ешь
 P посвящу́, посвяти́шь
 p. посвяти́л
 imp. посвяти́!
 ppp. посвящённый

посеща́ть *I/P* посети́ть visit, frequent, call on
I посеща́ю, а́ешь
P посещу́, посети́шь
p. посети́л *imp.* посети́!
ppp. посещённый

по́сле *adv.* afterwards, *with gen.* after

после́дний, яя, ее, ие *a.* last

после́дователь, -я *m.* follower, adherent

после́довательный *a.* consequent, successive, following, next
sh. после́дователен, -тельна, о, ы

посло́вица, -ы *f.* proverb, saying

постепе́нный *a.* gradual

постоя́нный *a.* permanent, constant, continuous
sh. постоя́нен, постоя́нна, -о, -ы
постоя́нная величина́ constant
постоя́нный ток direct current

постоя́нство, -a *n.* stability, constancy

построе́ние, -я *n.* building, construction

поступа́ть *I/P* поступи́ть act, start, flow, enter, proceed
I поступа́ю, -а́ешь
P поступлю́, посту́пишь
p. поступи́л *imp.* поступи́!

посу́да, -ы *f.* plates and dishes, vessels, utensils, crockery

посыла́ть *I/P* посла́ть send
I посыла́ю, а́ешь
P пошлю́, пошлёшь
p. посла́л *imp.* пошли́!
ppp. по́сланный

потенциа́л, -a *m.* potential

поте́ря, -и *f.* loss, waste

потеря́ть *P/I* теря́ть lose
P потеря́ю, -я́ешь
p. потеря́л
ppp. поте́рянный

пото́к, -a *m.* stream, current, flow

пото́м *adv.* then, afterwards, later

пото́мок, пото́мка *m.* descendant, offspring

потребля́ть *I* consume, use
I потребля́ю, я́ешь

потре́бность, -и *f.* necessity, requirement, need, demand

похо́жий, ая, ое, ие *a.* similar, alike, resembling

по́чва, -ы *f.* soil, ground

почему́ *adv. inter. and rel.* why

почти́ *adv.* almost, nearly, practically

поэ́тому *adv.* therefore, that's why

появле́ние, -я *n.* appearance, emergence

появля́ться *I/P* появи́ться appear, show oneself, emerge
I появля́юсь, появля́ешься
P появлю́сь, поя́вишься
p. появи́лся *imp.* появи́сь!

по́яс, по́яса *m.* belt, zone
pl. пояса́, поясо́в

поясня́ть *I/P* поясни́ть explain, elucidate
I поясня́ю, поясня́ешь
P поясню́, поясни́шь
p. поясни́л *imp.* поясни́!
ppp. поясне́нный

пра́вда, -ы *f.* truth, justice

пра́вило, -a *n.* rule, principle, regulation

пра́вильный *a.* correct, right, proper
sh. пра́вилен, пра́вильна, -о, -ы

пра́во, -a *n.* right, law

пра́вый *a.* right, right-hand
sh. прав, права́, пра́во, пра́вы

пра́ктика, -и *f.* practice

практи́ческий, ая, ое, ие *a.* practical

превраща́ть *I/P* преврати́ть turn, convert, transmute, transform
I превраща́ю, -а́ешь
P превращу́, преврати́шь
p. преврати́л
imp. преврати́!
ppp. превращённый

превраще́ние, -я *n.* transformation, conversion, reduction

превыша́ть *I/P* **превы́сить** exceed
I превыша́ю, -а́ешь
P превы́шу, превы́сишь
p. превы́сил *imp.* превы́сь!
ppp. превы́шенный

прегражда́ть *I/P* **прегради́ть**
bar, prevent, block up, stop
I прегражда́ю, -а́ешь
P прегражу́, прегради́шь
p. прегради́л *imp.* прегради́!
ppp. прегражде́нный

предвари́тельный *a.* preliminary
преде́л, -а *m.* limit, bound
преде́льный *a.* maximum, utmost
преде́льный углеводоро́д
saturated hydrocarbon

предисло́вие, -я *n.* preface, foreword

предлага́ть *I/P* **предложи́ть**
propose, suggest, offer
I предлага́ю, предлага́ешь
P предложу́, предло́жишь
p. предложи́л
imp. предложи́!
ppp. предло́женный

предме́т, -а *m.* thing, object, subject

предназнача́ть *I/P* **предназна́чить**
intend, destine, reserve
I предназнача́ю, -а́ешь
P предназна́чу, предназна́чишь, предназна́чил
imp. пердназна́чь!
ppp. предназна́ченный

предотвраща́ть *I/P* **предотврати́ть**
prevent, avert
I предотвраща́ю, -а́ешь
P предотвращу́, предотврати́шь
p. предотврати́л
imp. предотврати́!
ppp. предотвраще́нный

предохрани́тель, -я *m.* fuse (*elect.*)

предохраня́ть *I/P* **предохрани́ть**
protect, preserve
I предохраня́ю, -я́ешь
P предохраню́, предохрани́шь
p. предохрани́л
imp. предохрани́!
ppp. предохране́нный

предполага́ть *I/P* **предположи́ть**
suppose, surmise, assume, presume
I предполага́ю, -а́ешь
P предположу́, предполо́жишь
p. предположи́л
imp. предположи́!
ppp. предположе́нный

предска́зывать *I/P* **предсказа́ть**
predict, forecast
I предска́зываю, аешь
P предскажу́, предска́жешь
p. предсказа́л
imp. предскажи́!
ppp. предска́занный

представля́ть *I/P* **предста́вить**
present, offer, produce, perform, represent
I представля́ю, -я́ешь
P предста́влю, предста́вишь
p. предста́вил
imp. предста́вь!
ppp. предста́вленный

предстоя́ть *I* be in prospect
предстои́т *p.* предстоя́л

предупрежда́ть *I/P* **предупреди́ть**
forestall, anticipate, warn, notify
I предупрежда́ю, -а́ешь
P предупрежу́, предупреди́шь
p. предупреди́л
imp. предупреди́!
ppp. предупрежде́нный

предше́ствовать *I* forego, forewarn, precede
предше́ствует
p. предше́ствовал

предъявля́ть *I/P* **предъяви́ть**
produce, show, lay claim
I предъявля́ю, -я́ешь
P предъявлю́, предъя́вишь
p. предъяви́л
imp. предъяви́!
ppp. предъя́вленный

предыду́щий, ая, ое, ие *a.* previous, preceding

пре́жде *adv.* before, formerly, first, prior to. *Also prep. with gen.* before

пре́жний *a.* previous, former

преиму́щество, -а *n.* advantage, preference

прекрати́ть *see* прекраща́ть

прекраща́ть *I/P* **прекрати́ть** stop, cease, discontinue
I прекраща́ю, прекраща́ешь
P прекращу́, прекрати́шь
p. прекрати́л *imp.* прекрати́!
ppp. прекращённый

преломле́ние, -я *n.* refraction

пренебрега́ть *I/P* **пренебре́чь** (+*instr.*) ignore, disregard, discount
I пренебрега́ю, -а́ешь
P пренебрегу́, пренебрежёшь
p. пренебрёг, пренебрегла́
imp. пренебреги́!
ppp. пренебрежённый

пренебре́чь *see* пренебрега́ть

преобладать *I* prevail, predominate
преоблада́ет *p.* преоблада́л

преобразо́вывать *I/P* **преобразова́ть** transform, change
I преобразо́вываю, -аешь
P преобразу́ю, преобразу́ешь
p. преобразова́л
ppp. преобразо́ванный

преодолева́ть *I/P* **преодоле́ть** overcome, surmount, succeed
I преодолева́ю, а́ешь
P преодоле́ю, -е́ешь
p. преодоле́л
ppp. преодолённый

препя́тствовать *I* hinder, hamper, lay obstacles, prevent
I препя́тствую, препя́тствуешь
p. препя́тствовал
imp. препя́тствуй!

прервать *see* прерыва́ть

прерыва́ть *I/P* **прерва́ть** interrupt, break, cut off
I прерыва́ю, -а́ешь
P прерву́, прервёшь
p. прерва́л, прервала́, а́ло, а́ли
imp. прерви́! *ppp.* пре́рванный

при *prep. with pr.* at, in, during, by, with

приба́вить *see* прибавля́ть

прибавля́ть *I/P* **приба́вить** add, increase, supply, rise
I прибавля́ю, я́ешь
P приба́влю, приба́вишь
p. приба́вил приба́вь!
ppp. приба́вленный

приближа́ться *I/P* **прибли́зиться** approach, near, approximate
I приближа́юсь, приближа́ешься
P прибли́жусь, прибли́зишься
p. прибли́зился, прибли́зилась

приблизи́тельный *a.* approximate rough

прибли́зиться *see* приближа́ться

прибо́р, -а *m.* instrument, device, apparatus, set

привлека́ть *I/P* **привле́чь** attract, draw
I привлека́ю, -а́ешь
P привлеку́, привлечёшь, привлеку́т
p. привлёк, -ла́
imp. привлеки́!
ppp. привлечённый

приводи́ть *I/P* **привести́** bring, lead, drive
I привожу́, приво́дишь
P приведу́, приведёшь
p. привёл, -ла
imp. приведи́!
ppp. приведённый

приготавливать *I/P* **пригото́вить** prepare
I пригота́вливаю, пригота́вливаешь
P пригото́влю, пригото́вишь
p. пригото́вил
imp. пригото́вь!
ppp. пригото́вленный

приготовля́ть *I* == пригота́вливать
приготовля́ю, приготовля́ешь

пригревáть *I/P* **пригрéть** warm
I пригревáю, -áешь
P пригрéю, пригрéешь
p. пригрéл

придавáть *I/P* **придáть** add, attach, impart, give
I придаю́, -ёшь
p. придавáл *imp.* придавáй!
P придáм, -áшь, -áст, -адим,
-адите, -адут
p. прúдал, придалá, прúдало,
прúдали *imp.* придáй!
ppp. прúданный

придáть *see* придавáть

придýмать *see* придýмывать

придýмывать *I/P* **придýмать** think, devise, invent
I придýмываю, -аешь
P придýмаю, придýмаешь
ppp. придýманный

приём, -а *m.* reception, method, way

приёмник, -а *m.* radio, receiver

прижáть *see* прижимáть

прижимáть *I/P* **прижáть** press to
I прижимáю, -áешь
p. прижимáл
P прижмý, прижмёшь
p. прижáл
ppp. прижáтый

призвáть *see* призывáть

приземлéние, -я *n.* landing, touch down

признавáть *I/P* **признáть** recognize, admit, acknowledge, confirm
I признаю́, признаёшь
p. признавáл
imp. признавáй!
P признáю, признáешь
p. признáл *imp.* признáй!
ppp. прúзнанный

прúзнак, -а *m.* sign, indication

признáть *see* признавáть

призывáть *I/P* **призвáть** call, summon
I призывáю, -áешь
p. призывáл *imp.* призывáй!

P призовý, призовёшь
p. призвáл, -алá, -áло, -áли
imp. призови́!
ppp. прúзванный

прийти́ *see* приходи́ть

прикасáться *I/P* **прикоснýться** touch
I прикасáюсь, -áешься
P прикоснýсь, -ёшься
p. прикоснýлся, прикоснý-
лась
imp. прикосни́сь! прикосни́-
тесь!

прикладнóй *a.* applied
прикладнáя математика applied mathematics

прикоснýться *see* прикасáться

прилагáть *I/P* **приложи́ть** add, put, apply, make efforts
I прилагáю, прилагáешь
P приложý, прилóжишь
приложи́л *imp.* приложи́!
ppp. прилóженный

прилегáть *I/P* **прилéчь к** +*dat.* adjoin, fit closely
I прилегáю, прилегáешь
P приля́гу, приля́жешь,
приля́гут *p.* прилёг, -леглá
imp. приля́г!

прили́в, -а *m.* influx, flow, flux, high tide

прилипáть *I/P* **прили́пнуть** stick to, adhere
I прилипáю, -áешь
P прили́пну, прили́пнешь
p. прили́п, прили́пла

приложи́ть *see* прилагáть

прилунéние, -я *n.* landing on the moon

примени́ть *see* применя́ть

применя́ть *I/P* **примени́ть** apply use, employ
I применя́ю, применя́ешь
P применю́, примéнишь
p. примени́л
imp. примени́!
ppp. применённый

примéр, -а *m.* example, instance

примесь, -и *f.* admixture, infusion, tinge, dash

примечание, -я *n.* note, comment, annotation, foot-note

примитивный *a.* primitive

принимать *I/P* **принять** accept, take, receive, admit
- *I* принимаю, принимаешь
- *P* приму, примешь
  - *p.* принял, -яла, приняло, приняли
  - *imp.* прими! *ppp.* принятый

приносить *I/P* **принести** bring, bear
- *I* приношу, приносишь
  - *p.* приносил *imp.* принеси!
- *P* принесу, принесёшь
  - *p.* принёс, -ла
  - *imp.* принеси!
  - *ppp.* принесённый

принцип, -a *m.* principle

принять *see* принимать

приобрести *see* приобретать

приобретать *I/P* **приобрести** acquire, gain
- *I* приобретаю, приобретаешь
- *P* приобрету, приобретёшь
  - *p.* приобрёл, -ла
  - *imp.* приобрети!
  - *ppp.* приобретённый

припаивать *I/P* **припаять** soldier
- *I* припаиваю, припаиваешь
  - *p.* припаивал
  - *imp.* припаивай!
- *P* припаяю, припаяешь
  - *p.* припаял *imp.* припаяй!
  - *ppp.* припаянный

припаять *see* припаивать

приписать *see* приписывать

приписывать *I/P* **приписать** ascribe, attribute, put down
- *I* приписываю, приписываешь
  - *p.* приписывал
- *P* припишу, припишешь
  - *p.* приписал
  - *imp.* припиши!
  - *ppp.* приписанный

припоминать *I/P* **припомнить** remember, recollect
- *I* припоминаю, припоминаешь
- *P* припомню, припомнишь
  - *p.* припомнил

припомнить *see* припоминать

природа, -ы *f.* nature

природный *a.* natural, innate

присваивать *I/P* **присвоить** appropriate, confer, award
- *I* присваиваю, присваиваешь
  - *p.* присваивал
  - *imp.* присваивай!
- *P* присвою, присвоишь
  - *p.* присвоил
  - *imp.* присвой!
  - *ppp.* присвоенный

присвоить *see* присваивать

присоединиться *see* присоединяться

присоединяться *I/P* **присоединиться** join, associate, subscribe to
- *I* присоединяюсь, присоединяешься
- *P* присоединюсь, присоединишься
  - *p.* присоединился, присоединилась
  - *imp.* присоединись! присоединитесь!

присутствовать *I* be present, attend
- присутствую, присутствуешь
  - *p.* присутствовал
  - *imp.* присутствуй!

притом *cj.* besides, at that

притягивать *I/P* **притянуть** attract
- *I* притягиваю, притягиваешь
- *P* притяну, притянешь
  - *p.* притянул
  - *imp.* притяни!
  - *ppp.* притянутый

притяжение, -я *n.* attraction, gravity

притянуть *see* притягивать

приходи́ть *I/P* **прийти́** come, arrive
  I прихожу́, прихо́дишь
  p. приходи́л
  imp. приходи́!
  P приду́, придёшь
  p. пришёл, пришла́
  imp. приди́!
причи́на, -ы *f.* reason, motive, cause
прия́тный *a.* pleasant, pleasing, agreeable
  sh. прия́тен, -а, -о, -ы
проанализи́ровать *see* анализи́ровать
проби́рка, -и *f.* test tube
проби́ть *see* бить
про́бка, -и *f.* cork, plug, stopper
пробле́ма, -ы *f.* problem
про́бовать *I/P* **попро́бовать** try, taste, attempt, feel
  I про́бую, про́буешь
  p. про́бовал
  imp. про́буй!
проведе́ние, -я *n.* conducting, carrying out
  проведе́ние о́пыта carrying out of an experiment
прове́рить *see* проверя́ть
проверя́ть *I/P* **прове́рить** check up, verify, examine, try, test
  I проверя́ю, проверя́ешь
  P прове́рю, прове́ришь
  p. прове́рил
  imp. прове́рь!
про́вод, -а *m./pl.* провода́, -о́в wire, lead, conductor
проводни́к, -а́ *m.* conductor, guide
провожа́ть *I/P* **проводи́ть** see off, accompany
  I провожа́ю, провожа́ешь
  P провожу́, прово́дишь
  p. проводи́л
  imp. проводи́!
програ́мма, -ы *f.* programme, curriculum, syllabus, schedule

прогрева́ть *I/P* **прогре́ть** heat, warm
  I прогрева́ю, -а́ешь
  P прогре́ю, прогре́ешь
  p. прогре́л
  imp. прогре́й!
  ppp. прогре́тый
прогре́ть *see* прогрева́ть
продава́ть *I/P* **прода́ть** sell
  I продаю́, продаёшь
  p. продава́л *imp.* продава́й!
  P прода́м, -а́шь, -а́ст, -ади́м, -ади́те, -аду́т
  p. про́дал, продала́, про́дало, про́дали
  imp. прода́й!
  ppp. про́данный
прода́жа, -и *f.* sale, selling
прода́ть *see* продава́ть
продемонстри́ровать *see* демонстри́ровать
продово́льствие, -я *n.* foodstuffs, provisions, victuals
продолжа́ть *I/P* **продо́лжить**
  I продолжа́ю, -а́ешь
  P продо́лжу, продо́лжишь
  p. продо́лжил
  imp. продо́лжи!
  ppp. продо́лженный
продолжи́тельный *a.* long, prolonged
  sh. продолжи́телен, продолжи́тельна, -о, -ы
продо́лжить *see* продолжа́ть
продо́льный *a.* longitudinal
проду́кт, -а *m.* foodstuffs, victuals, product, produce
прозра́чный *a.* transparent
произведе́ние, -я *n.* work, production, opus, composition, product
произвести́ *see* производи́ть
производи́тельность, -и *f.* productivity
производи́тельный *a.* productive, efficient
  sh. производи́телен, производи́тельна, -о, -ы

производи́ть *I/P* **произвести́**
produce
I произвожу́, произво́дишь
p. производи́л
imp. производи́!
P произведу́, произведёшь
p. произвёл, произвела́
imp. произведи́!
ppp. произведённый
произво́дственный *a.* industrial,
production
произво́дство, -a *n.* production,
manufacture, factory
произнести́ *see* произноси́ть
произноси́ть *I/P* **произнести́**
pronounce, utter, say
I произношу́, произно́сишь
p. произноси́л
P произнесу́, произнесёшь
p. произнёс, произнесла́
imp. произнеси́!
ppp. произнесённый
произойти́ *see* происходи́ть
происходи́ть *I/P* **произойти**
happen, occur, arise
I происхожу́, происхо́дишь
p. происходи́л
P произойдёт
p. произошёл произошла́
происхожде́ние, -я *n.* origin,
birth, descent, extraction, pro-
venance
происше́ствие, -я *n.* event, in-
cident, accident
пройти́ *see* проходи́ть
прока́ливать *I/P* **прокали́ть**
temper, anneal
I прока́ливаю, -аешь
P прокалю́, прокали́шь
p. прокали́л *imp.* прокали́!
ppp. прокалённый
прокали́ть *see* прока́ливать
прока́тный *a.* rolling
пролива́ть *I/P* **проли́ть** spill,
shed, pour out
I пролива́ю, -аешь
P пролью́, прольёшь
p. про́лил/проли́л, пролила́,

про́лило/пролило́, про́лили/
пролили́
imp. проле́й!
ppp. про́литый
проли́ть *see* пролива́ть
промежу́ток, промежу́тка *m.*
space, interval, span
промежу́точный *a.* intermediate,
intervening
промы́шленность, -и *f.* industry
промы́шленный *a.* industrial
проника́ть *I/P* **прони́кнуть**
penetrate, pass
I проника́ю, -аешь
P прони́кну, прони́кнешь
p. прони́к, прони́кла
imp. прони́кни!
ppp. прони́кнутый
проникнове́ние, -я *n.* penetra-
tion
проница́емый *part.* permeable
проница́тельный *a.* shrewd,
penetrating, acute, piercing
sh. проница́телен, проница́-
тельна, -о, -ы
пропорциона́льный *a.* proportional, proportionate
sh. пропорциона́лен, пропор-
циона́льна, -о, -ы
пропуска́ние, -я *n.* passing, passing through, filtering
пропуска́ть *I/P* **пропусти́ть** let
pass, pass, leak
I пропуска́ю, -аешь
P пропущу́, пропу́стишь
p. пропусти́л
imp. пропусти́!
ppp. пропу́щенный
прорыва́ть *I/P* **прорва́ть** break
through
I прорыва́ю, -аешь
P прорву́, прорвёшь
p. прорва́л, -ала́, -а́ло, -а́ли
прорви́!
ppp. про́рванный
прорыва́ться *I/P* **прорва́ться**
burst open, break, tear

просачиваться *I/P* просочиться
percolate, soak through
I просачиваюсь, просачивае-
шься
P просочюсь
просвечивать *I/P* просветить
examine with X-rays
I просвечиваю, -аешь
P просвечу, просветишь
p. просветил
просвещение, -я *n.* education, en-
lightenment
просматривать *I/P* просмотреть
look over, miss, review
I просматриваю, -аешь
P просмотрю, просмотришь
p. просмотрел *imp.* просмотри!
ppp. просмотренный
простейший *a. superl.* simplest,
very simple
простереться *see* простираться
простираться *I/P* простереться
stretch, reach, range
I простирается
P *p.* простёрся, простёрлась
простить *see* прощать
простой *a.* simple, easy, ordinary,
common, plain
sh. прост, проста, просто,
просты, просты
пространство, -а *n.* space
протекать *I/P* протечь run, flow,
proceed, elapse, pass, spring a
leak
I протекаю, протекаешь
P протеку, протечёт, протекут
p. протёк, протекла
протечь *see* протекать
против *prep. with gen.* against,
opposite, contrary to
противоположный *a.* opposite,
contrary, opposed
sh. противоположен, противо-
положна, -о, -ы
протон, -а *m.* proton
протягивать *I/P* протянуть
stretch, extend, last
I протягиваю, -аешь

P протяну, протянешь
p. протянул *imp.* протяни!
ppp. протянутый
протяжение, -я *n.* extent, stretch
протянуть *see* протягивать
профессор, -а *m./pl.* профессора,
-ов   professor
профильтровывать *I/P* профиль-
тровать   filter
P профильтрую, -уешь
p. профильтровал
проходить *I/P* пройти pass, go,
elapse, be over, go off
I прохожу, проходишь
P пройду, пройдёшь
p. прошёл, прошла
imp. пройди!
прохождение, -я *n.* passing,
passage
процент, -а *m.* per cent, percent-
age, rate, interest
процесс, -а *m.* process
прочность, -и *f.* durability, firmness, fastness, solidity
прочный *a.* durable, strong, solid,
firm
sh. прочен, прочна, -о, -ы *also*
прочны
прошедший, ая, ое, ие *part.* from
пройти past, bygone, last
прошлое, -ого *n.* the past
прошлый *a.* past
прощать *I/P* простить forgive,
pardon, excuse
I прощаю, -аешь
P прощу, простишь
p. простил *imp.* прости!
ppp. прощённый
проявить *see* проявлять
проявлять *I/P* проявить
develop, show, manifest
I проявляю, -яешь
P проявлю, проявишь
p. проявил *imp.* прояви!
ppp. проявленный
пружина, -ы *f.* spring, main-spring
прут, -а/а *pl.* прутья, прутьев
twig, bar, rod

прямая, -ой *f.* straight line
прямо *adv.* straight, directly
прямой *a.* direct, straight
  sh. прям, пряма, прямо, прямы
прямолинейный *a.* rectilinear
прямоугольный *a.* rectangular
псевдо-кислота, -ы *f.* pseudo-acid
пузырёк, пузырька *pl.* пузырьки
  phial, vial, bubble
пункт, -а *m.* item, point
пускать *I/P* пустить let, allow,
  permit, start
  I пускаю, -аешь
  P пущу, пустишь
  p. пустил
  imp. пусти!
  ppp. пущенный
пустить *see* пускать
пустой *a.* empty, hollow
  sh. пуст, пуста, пусто, пусты
пустота, -ы *f.* emptiness, futility,
  vacuum
пустынный *a.* deserted, desert
  sh. пустынен, пустынна, -а, -ы
пустыня, -и *f.* desert, wilderness
путать *I/P* напутать confuse,
  mix up, muddle
  I путаю, -аешь
  p. путал
  imp. путай!
  ppp. путанный
путешествие, -я *n.* journey,
  travel, trip, voyage
путь, пути *m.* way, road, track,
  path
  instr. путём *pl.* пути путей
пучок, пучка *m.* bunch, bundle,
  cluster
пылинка, -и *f.* speck of dust
пыль, -и *f.* dust
пытливый *a.* inquisitive
пятница, -ы *f.* Friday
пятно, -а *n./pl.* пятна, пятен spot,
  stain, patch
пятнышко, -а *n.* little spot, speck

работа, -ы *f.* work
работник, -а *m.* worker

рабочий, рабочего worker, work-
  man, labourer
  рабочий ход power stroke
  (engine)
  рабочее тело working substance
равенство, -а *n.* equality
равнина, -ы *f.* plain, flat country
равновесие, -я *n.* balance, equilibrium
равнодействующая, -ей *f.* re-
  sultant of forces
равномерный *a.* proportional,
  equal, even
  sh. равномерен, равномерна, о,
  ы
равный *a.* equal
  sh. равен, равна, о, ы
радий, -я *m.* radium
радио *indecl. n.* radio, wireless
радиоактивность, -и *f.* radio-
  activity
радиоактивный *a.* radioactive
  радиоактивное облучение
  radioactive radiation
  радиоактивные вещества fall-
  out
радиовещание, -я *n.* broadcasting
радиолокация, -и *f.* radar
радиопередатчик, -а *m.* radio
  transmitter
радиосвязь, -и *f.* radio communication
радиоэхо *n.* radio echo
радиус, -а *m.* radius
радуга, -и *f.* rainbow
раз, -а/у *m.* time, once
  pl. разы, раз, разам
разбавлять *I/P* разбавить dilute
  I разбавляю, -яешь
  P разбавлю, разбавишь
  p. разбавил *imp.* разбавь!
  ppp. разбавленный
разбивать *I/P* разбить break,
  smash, divide
  I разбиваю, -аешь
  P разобью, разобьёшь
  p. разбил *imp.* разбей!
  ppp. разбитый

разбира́ться *I/P* **разобра́ться**
investigate, look into, understand, examine
I разбира́юсь, разбира́ешься
P разберу́сь, разберёшься
   р. разобра́лся, разобрала́сь,
   разобрали́сь
   imp. разбери́сь, разбери́тесь!
развёртка, -и *f.* scanning (television)
развива́ть *I/P* **разви́ть** develop,
evolve, exploit, pick, work out
I развива́ю, -а́ешь
P разовью́, разовьёшь
   р. разви́л, ила́, и́ло, и́ли
   imp. разве́й!
   ppp. разви́тый/развито́й
разви́тие, -я *n.* development, evolution, growth
разга́дка, -и *f.* solution, clue
разга́дывать *I/P* **разгада́ть** un-
riddle, solve, guess
I разга́дываю, -аешь
   р. разга́дывал
P разгада́ю, разгада́ешь
   р. разгада́л
   ppp. разга́данный
раздава́ться *I/P* **разда́ться** expand, ring out, be heard, re-
sound
I раздаётся раздава́лся
P разда́стся, раздаду́тся
   р. разда́лся, -ала́сь
раздвига́ть *I/P* **раздви́нуть** extend, move apart, draw apart
I раздвига́ю, -аешь
P раздви́ну, раздви́нешь
   р. раздви́нул *imp.* раздви́нь!
   ppp. раздви́нутый
раздели́ть *I/P* **раздели́ть** separate, divide, keep apart
I разделя́ю, -я́ешь
P разделю́, разде́лишь
   р. раздели́л *imp.* раздели́!
   ppp. разделённый
разлага́ть *I/P* **разложи́ть** decompose, disintegrate, expand,
demoralize

I разлага́ю, -а́ешь
P разложу́, разло́жишь
   р. разложи́л *imp.* разложи́!
   ppp. разло́женный
разлива́ть *I/P* **разли́ть** pour out,
spill
I разлива́ю, -а́ешь
P разолью́, разольёшь
   р. разли́л, ила́, и́ло, и́ли
   imp. разле́й!
   ppp. разли́тый/разлито́й
различа́ть *I/P* **различи́ть** distinguish, discern
I различа́ю, -а́ешь
P различу́, различи́шь
   р. различи́л *imp.* различи́!
разли́чие, -я *n.* difference, dis-
tinction
разложе́ние, -я *n.* decomposition,
disintegration, decay, rot, cor-
ruption, demoralization, de-
gradation
разма́х, -а/у *m.* scope, sweep,
swing, span
разме́р, -а *m.* dimensions, extent,
size
размеща́ть *I/P* **размести́ть** place,
distribute, put, locate, accommodate
I размеща́ю, -а́ешь
P размещу́, размести́шь
   р. размести́л *imp.* размести́!
   ppp. размещённый
размноже́ние, -я *n.* reproduction
in quantity, propagation
размока́ть *I/P* **размо́кнуть** get
sodden, soak
I размока́ю, -а́ешь
P размо́кну, размо́кнешь
   р. размо́к, размо́кла
размыва́ть *I/P* **размы́ть** wash
away
I размыва́ю, -а́ешь
P размо́ю, размо́ешь
   р. размы́л *imp.* размо́й!
   ppp. размы́тый
ра́зница, -ы *f.* difference, dis-
parity

разнообра́зный *a.* various, different, diverse, dissimilar
sh. разнообра́зен, разнообра́зна, -о, -ы
ра́зный *a.* different, various, diverse
разогрева́ть *I/P* **разогре́ть** warm up, heat
I разогрева́ю, -а́ешь
P разогре́ю, -е́ешь *imp.* разогре́й!
ppp. разогре́тый
разраба́тывать *I/P* **разрабо́тать** cultivate, work out, exploit, elaborate
I разраба́тываю, -аешь
p. разрабо́тал
imp. разрабо́тай!
ppp. разрабо́танный
разреже́ние, -я *n.* rarefaction, thinning out
разре́з, -а *m.* cut, section, diagram, cross-section
разреза́ть *I/P* **разре́зать** cut through, slit
I разреза́ю, а́ешь
P разре́жу, разре́жешь
p. разре́зал *imp.* разре́жь!
ppp. разре́занный
разреша́ть *I/P* **разреши́ть** allow, permit, authorize, solve
I разреша́ю, -а́ешь
P разрешу́, разреши́шь
p. разреши́л *imp.* разреши́!
ppp. разрешённый
разруша́ть *I/P* **разру́шить** destroy, demolish
I разруша́ю, -а́ешь
P разру́шу, разру́шишь
p. разру́шил *imp.* разру́шь!
ppp. разру́шенный
разруше́ние, -я *n.* destruction, demolition
разря́д, -а *m.* discharge, category, rank, kind, sort, class, grade, rating
разря́дный *a.* discharging
разря́дная тру́бка discharge tube

разъеда́ть *I/P* **разъе́сть** eat apart, corrode
I разъеда́ю, -а́ешь
P разъе́м, разъе́шь, разъе́ст, разъеди́м, разъеди́те, разъеди́т
p. разъе́л разъе́ла
ppp. разъе́денный
разъединя́ть *I/P* **разъедини́ть** separate, disconnect, part
I разъединя́ю, -я́ешь
P разъединю́, разъедини́шь
p. разъедини́л
imp. разъедини́!
ppp. разъединённый
райо́н, -а *m.* region, area, sphere
раке́та, -ы *f.* rocket
раке́тный *a.* rocket
ра́на, -ы *f.* wound
ра́нее *or* **ра́ньше** *adv.* earlier, before
ра́нний, яя, ее, ие *a.* early
раскалённый *a.* incandescent, burning, hot
распа́д, -а *m.* disintegration, decomposition
распада́ться *I/P* **распа́сться** disintegrate
I распада́ется
P распадётся
p. распа́лся, распа́лась
расплавля́ть *I* **распла́вить** melt
располага́ть *I/P* **расположи́ть** arrange, dispose, locate
I располага́ю, -а́ешь
P расположу́, располо́жишь
p. расположи́л
imp. располо́жи!
ppp. располо́женный, расположённый
расположе́ние, -я *n.* disposition, location, arrangement
распределя́ть *I/P* **распредели́ть** distribute, allocate
I распределя́ю, -я́ешь
P распределю́, -и́шь
p. распредели́л
imp. распредели́!
ppp. распределённый

распростране́ние, -я *n.* spreading, diffusion, propagation, distribution, dissemination

распространя́ть *I/P* распространи́ть spread, propagate, circulate
I распространя́ю, -я́ешь
P распространю́, -и́шь
p. распространи́л
imp. распространи́!
ppp. распространённый

распыля́ть *I/P* распыли́ть pulverize, disperse
I распыля́ю, -я́ешь
P распылю́, распыли́шь
p. распыли́л *imp.* распыли́!
ppp. распылённый

рассе́ивать *I/P* рассе́ять scatter, diffuse, dispel, dissipate
I рассе́иваю, -аешь
P рассе́ю, -е́ешь
p. рассе́ял *imp.* рассе́й!
ppp. рассе́янный

рассе́ивающая ли́нза *f.* diverging lens

расска́з, -а *m.* account, tale, story

расска́зывать *I/P* рассказа́ть tell, account, narrate, relate
I расска́зываю, -аешь
P расскажу́, расска́жешь
p. рассказа́л
imp. расскажи́!
ppp. расска́занный

рассма́тривать *I/P* рассмотре́ть discuss, consider, regard, examine, scrutinize
I рассма́триваю, -аешь
P рассмотрю́, рассмо́тришь
p. рассмотре́л
imp. рассмотри́!
ppp. рассмо́тренный

расстоя́ние, -я *n.* distance

рассчи́тывать *I/P* рассчита́ть calculate, rate, count on
I рассчи́тываю, -аешь
P рассчита́ю, -а́ешь
p. рассчита́л *imp.* рассчита́й!
ppp. рассчи́танный

раста́ять *P/I* та́ять thaw, melt
I та́ю, та́ешь *p.* та́ял
imp. тай!

раство́р, -а *m.* solution

растворя́ться *I/P* раствори́ться dissolve, get dissolved
I растворя́ется
P раствори́тся *p.* раствори́лся

расте́ние, -я *n.* plant

расти́ *I* grow up, grow, increase, mount
расту́, растёшь *p.* рос, росла́
imp. расти́!

расти́тельный *a.* vegetable

растя́гивать *I/P* растяну́ть stretch, strain, extend, expand, pull
I растя́гиваю, -аешь
P растяну́, растя́нешь
p. растяну́л
imp. растяни́!
ppp. растя́нутый

растяже́ние, -я *n.* tension

расхо́д, -а *m.* expense, expenditure, consumption

расходи́ться *I/P* разойти́сь disperse, disappear, diverge, depart
I расхожу́сь, расхо́дишься
p. расходи́лся
imp. расходи́сь!
P разойду́сь, разойдёшься
p. разошёлся
imp. разойди́сь!

расцве́т, -а blossoming, bloom, flourishing, prosperity

расшире́ние, я *n.* expansion, extension, enlargement

расширя́ть *I/P* расши́рить expand, extend, enlarge, widen, broaden
I расширя́ю, -я́ешь
P расши́рю, -ишь
p. расши́рил
imp. расши́рь!
ppp. расши́ренный

расщепле́ние, -я *n.* splitting, fission, breaking up

реаги́ровать *I* react, respond
реаги́рую, реаги́руешь
   p. реаги́ровал
   imp. реаги́руй!
реакти́в, -а *m.* reagent
реакти́вный *a.* jet-propelled, reactive
реа́ктор, -а *m.* pile, reactor
реа́кция, -и *f.* reaction
реализи́ровать *I+P* realize, accomplish
реализи́рую, -уешь
   p. реализи́ровал
   ppp. реализи́рованный
реа́льный *a.* real, practical, realistic, feasible
ребро́, -а́ *n.* rib, rim, edge
   pl. рёбра, рёбер, рёбрам
регистри́ровать *I* register, record
регистри́рую, -уешь
   p. регистри́ровал
   imp. регистри́руй!
регули́ровать *I* regulate, adjust
регули́рую, -уешь
   p. регули́ровал
   imp. регули́руй!
   ppp. регули́рованный
ре́дкий, ая, ое, ие *a.* rare, sparse, thin
   sh. ре́док, редка́, ре́дко, ре́дки
ре́зать *I/P* заре́зать cut, kill
I ре́жу, ре́жешь
   p. ре́зал *imp.* режь!
   ppp. ре́занный
P заре́жу
рези́на, -ы *f.* (india)rubber
ре́зкий, ая, ое, ие *a.* sharp, harsh
   sh. ре́зок, резка́, ре́зко, ре́зки
результа́т, -а *m.* result, effect
река́, -и́ *f. acc.* ре́ку *pl.* ре́ки river
рекомендова́ть *P+I* recommend
рекоменду́ю, -у́ешь
   p. рекомендова́л
   imp. рекоменду́й!
   ppp. рекомендо́ванный
рентге́н, -а *m.* roentgen
рентге́новские лучи́ X-rays

реша́ть *I/P* реши́ть sole, decide
I реша́ю, -а́ешь
P решу́, реши́шь
   p. реши́л *imp.* реши́!
   ppp. решённый
решётка, -и *f.* lattice, grating, rust
   pl. решётки, решёток
ржа́вчина, -ы *f.* corrosion, rust
ро́вный *a.* flat, even, equal, level
   sh. ро́вен, ровна́, ро́вно, ро́вны
ровня́ть *I/P* сровня́ть equal
I ровня́ю, я́ешь
род, ро́да/у *m./pl.* ро́ды, родо́в family, kin, genus, sort, kind
роди́ть *P+I* give birth, give rise to
рожу́, роди́шь
   p. роди́л
   imp. роди́!
   ppp. рождённый
родно́й *a.* kindred, own, native
рожда́ть *I* рожда́ть = роди́ть
рожда́ю -а́ешь
ро́лик, -а *m.* roller
роль, -и *f.* role, part *pl.* ро́ли, роле́й
рост, -а *m.* growth, increase, development, height
рту́тный *a.* mercury
рту́ть, -и *f.* mercury
рубе́ж, -а́ *m.* boundary, border
руда́, -ы́ *f.* ore
рука́, -и́ *f.* hand, arm *acc.* ру́ку
   pl. ру́ки, рук, рука́м
руководи́тель, -я *m.* leader, instructor, head
руководи́ть *I* lead, guide, direct, supervise
руковожу́, руководи́шь
   p. руководи́л
   imp. руководи́!
ры́ба, -ы *f.* fish
ры́хлый *a.* loose, light, crumbly, porous, flabby
   sh. рыхл, рыхла́, ры́хло, ры́хлы
рыча́г, -а́ *m.* lever, key factor
ряд, -а/у *m.* row, line, series, number, order

ря́дом *adv.* side by side, beside

с, со *prep. with instr.* with; *prep. with gen.* from, off, away

сади́ться *I/P* **сесть** sit down, sit up
I сажу́сь, сади́шься
p. сади́лся, сади́лась
imp. сади́сь, сади́тесь!
P ся́ду, ся́дешь
p. сел, се́ла *imp.* сядь!

сам, сама́, само́, са́ми *pron.* self, oneself, in person

самовоспламене́ние, -я *n.* self-ignition, spontaneous combustion

самоде́льный *a.* home-made

самолёт, -а *m.* aeroplane, aircraft

самопроизво́льно *adv.* spontaneously

самостоя́тельно *adv.* independently, without assistance

самоцве́т, -а *m.* semi-precious stone

са́мый *pron.* the very same, same

сантиме́тр, -а *m.* centimetre

са́хар, -а/у *m.* sugar

сбаланси́ровать *see* баланси́ровать

сближа́ть *I/P* **сбли́зить** draw/bring together
I сближа́ю, -а́ешь
P сближу́, сбли́зишь
p. сбли́зил *imp.* сбли́зь!
ppp. сбли́женный

сбо́ку *adv.* on one side, from one side

сбра́сывать *I/P* **сбро́сить** throw off, drop down, discard
I сбра́сываю, -аешь
P сбро́шу, сбро́сишь
p. сбро́сил *imp.* сбро́сь!
ppp. сбро́шенный

свари́ть *see* вари́ть

сва́рка, -и *f.* welding

све́дение, -я *n.* information, intelligence, knowledge

све́жий, ая, ое, ие fresh, latest
sh. свеж, свежа́, свежо́, све́жи and свежи́

свет, -а *m.* light, world

свети́ло, -а *n.* luminary, heavenly body, star

сверхпроводни́к, -а́ *m.* superconductor

свети́ть *I* shine, burn, give light
свечу́, све́тишь
p. свети́л
imp. свети́!

све́тлый *a.* light, bright, clear
sh. све́тел, светла́, -о, -ы

светово́й *a.* light, luminous

светоси́ла, -ы *f.* speed (of a lens)

свеча́, -и́ *f.* candle, spark-plug

свече́ние, -я *n.* luminescence, fluorescence

свиде́тельствовать *I* testify, bear testimony
свиде́тельствую, -уешь
p. свиде́тельствовал
imp. -уй!

свине́ц, свинца́ *m.* lead

свобо́да, -ы *f.* freedom, liberty

свобо́дный *a.* free, vacant, spare
sh. свобо́ден, свобо́дна, о-, -ы

своди́ть *I/P* **свести́** bring together
I свожу́ сво́дишь
p. своди́л *imp.* своди́!
P сведу́, сведёшь
p. свёл, -ла́ *imp.* сведи́!
ppp. сведённый

своеобра́зный *a.* peculiar, original

свой, своя́, своё, свои́ *pron.* one's own

сво́йственный *a.* peculiar to, characteristic
sh. сво́йствен, сво́йственна, -о, -ы

свя́зывать *I/P* **связа́ть** tie, bind, connect
I свя́зываю, -аешь
P свяжу́, свя́жешь
p. связа́л *imp.* свяжи́!
ppp. свя́занный

связь, -и *f.* link, bond, channel (*telecom.*), communication

сгиб, -а *m.* bend

сгни́ть *P/I* гни́ть decompose, decay, rot
P сгнию́, сгниёшь
p. сгни́л, сгнила́, сгни́ло, сгни́ли
сгора́ние, -я *n.* combustion
сгора́ть *I/P* сгоре́ть burn, burn out
I сгора́ю, -а́ешь
P сгорю́, сгори́шь
p. сгоре́л *imp.* сгори́!
сгоре́ть *see* горе́ть
сгуща́ть *I/P* сгусти́ть condense, thicken
I сгуща́ю, -а́ешь
P сгущу́, сгусти́шь
p. сгусти́л *ppp.* сгущённый
сде́лать *P/I* де́лать make, make an attempt
P сде́лаю, -аешь
p. сде́лал *imp.* сде́лай!
ppp. сде́ланный
се́вер, -а *m.* north
сего́дня *adv.* today
сейча́с *adv.* now, right now, this minute
секу́нда, -ы *f.* second
се́льский, ая, ое, ие *a.* country, rural
  се́льское хозя́йство agriculture
семе́йство, -а *n.* family
семиле́тний *a.* seven-year, septennial
семиуго́льник, -а *m.* heptagon
сентя́брь, -я́ *m.* September
се́ра, -ы *f.* sulphur, brimstone
се́рдце, -а *n.* heart
  pl. сердца́, серде́ц, сердца́м
сердцеви́на, -ы *f.* core
серебри́стый *a.* silvery, silver
серебро́, -а́ *n.* silver
середи́на, -ы *f.* middle, midst, centre
серни́стый водоро́д sulphurated hydrogen
се́рный *a.* sulphur, sulphuric
се́тка, -и *f.* net, grid of a thermionic valve

сеть, -и *f.* network, mains electricity supply
сжа́тие, -я *n.* compression
сжечь *see* жечь
сжига́ть *I/P* сжечь reduce to ashes, burn down, cremate
I сжига́ю, -а́ешь
P сожгу́, сожжёшь
p. сжёг, сожгла́
imp. сожги́!
ppp. сожжённый
сжима́ть *I/P* сжать squeeze together, compress
I сжима́ю, -а́ешь
P сожму́, сожмёшь
p. сжал
imp. сожми́! *ppp.* сжа́тый
сза́ди *adv.* behind, from behind, from the end
сигна́л, -а *m.* signal
сиде́ть *I* sit, be seated, fit
  сижу́, сиди́шь
  p. сиде́л *imp.* сиди́!
си́ла, -ы *f.* strength, force
силово́й *a.* force, power
си́льно *adv.* strongly, greatly
си́ний, яя, ее, ие *a.* blue, dark blue
си́нтез, -а *m.* synthesis
систе́ма, -ы *f.* system
сказа́ть *P/I* говори́ть speak, talk, say
P скажу́, ска́жешь
p. сказа́л *imp.* скажи́!
I говорю́, говори́шь
p. говори́л *imp.* говори́!
ppp. ска́занный
скака́ть *I* skip, jump, hop, gallop
  скачу́, ска́чешь
  p. скака́л *imp.* скачи́!
скала́, -ы́ *f.* rock *pl.* ска́лы
скачо́к, скачка́ *m.* jump, swing, bound
сквозь *prep. with acc.* through
скла́дка, -и *f.* fold
скло́н, -а *m.* slop
ско́лько *adv. and pron.* how much, how many

сконструи́ровать *P/I* **конструи́ро-вать** construct, design
  P сконструи́рую, -уешь
  p. сконструи́ровал
скопле́ние, -я *n.* accumulation, crowd
ско́рый *a.* fast, rapid, quick, speedy
  sh. скор, скора́, -о, -ы
скры́тый *a.* secret, reticent, reserved
  sh. скры́тен, скры́тна, -о, -ы
сла́бый *a.* weak, feeble, slight, faint, low
  sh. слаб, слаба́, -о, -ы
слага́емое, -ого *n.* component
слегка́ *adv.* somewhat, gently, slightly, lightly
сле́довательно *adv.* consequently, accordingly
сле́довать *I/P* **после́довать** *trans. & intrans.* follow, go after, come next
  I сле́дую, -уешь
  p. сле́довал *imp.* сле́дуй!
сле́дствие, -я *n.* result, consequence, effect
слива́ться *I/P* **сли́ться** flow together, interflow, merge, amalgamate, blend
  I слива́ется
  P сольётся
  p. сли́лся, слила́сь
сли́шком *adv.* too much, excessively, too many
слия́ние, -я *n.* confluence, junction, blending, amalgamation, fusion
сло́во, -а *n./pl.* слова́ word, speech, address
сложи́ть *P/I* **скла́дывать** put together, add
  P сложу́, сло́жишь
  p. сложи́л *imp.* сложи́!
  ppp. сло́женный
слой, -я *m./pl.* слои́, слоёв layer, stratum, ply, sheet, bed
слу́жба, -ы *f.* service, work

служи́ть *I/P* **послужи́ть** serve, be used, be employed
  I служу́, слу́жишь
  p. служи́л
  imp. служи́!
слу́чай, -я *m.* case, occasion, opportunity, event
случа́йный *a.* accidental, casual
случа́ться *I/P* **случи́ться** happen, occur, come about
  I случа́ется
  P случи́тся
слы́шать *I/P* **услы́шать** hear
  I слы́шу, слы́шишь
  p. слы́шал
слюда́, -ы́ *f.* mica
сма́зывать *I/P* **сма́зать** grease, lubricate, oil
  I сма́зываю, -аешь
  P сма́жу, сма́жешь
  p. сма́зал *imp.* сма́жь!
  ppp. сма́занный
сма́зочный *a.* lubricating
сма́чивать *I/P* **смочи́ть** moisten, wet
  I сма́чиваю, -аешь
  P смочу́, смо́чишь
  p. смочи́л
сме́жный *a.* adjacent, contiguous, akin
  sh. сме́жен, сме́жна, -о, -ы
сме́лый *a.* bold, daring
  sh. смел, смела́, сме́ло, сме́лы
сме́на, -ы *f.* change, shift, replacement
смерть, -и *f.* death
смесь, -и *f.* mixture, mix, blend, compound
сме́шивать *I/P* **смеша́ть** mix, mingle, blend, compound
  I сме́шиваю, -аешь
  P смеша́ю, -а́ешь *imp.* смеша́й!
  ppp. сме́шанный
смеща́ть *I/P* **смести́ть** displace, remove, dislocate
  I смеща́ю, -а́ешь
  P смещу́, смести́шь *imp.* смести́!
  ppp. смещённый

смотре́ть *I/P* посмотре́ть look, have a look
I смотрю́, смо́тришь
смочь *see* мочь be able
смысл, -а *m.* sense, meaning, purport
снабжа́ть *I/P* снабди́ть supply, provide, furnish
I снабжа́ю, -а́ешь
P снабжу́, снабди́шь
p. снабди́л *imp.* снабди́!
ppp. снабжённый
снаря́д, -а *m.* projectile, shell, contrivance
снача́ла *adv.* at first, in the beginning
снег, -а/у *m.* snow
pl. снега́, снего́в
снижа́ться *I/P* сни́зиться descend, go down
I снижа́юсь, снижа́ешься
P сни́жусь, сни́зишься
p. сни́зился, сни́зилась
imp. (usually снижа́йся! снижа́йтесь!)
снима́ть *I/P* снять take off/away, remove, photograph, take pictures
I снима́ю, -а́ешь
P сниму́, сни́мешь
p. снял, сняла́, сня́ло, сня́ли
imp. сними́!
ppp. снято́й сня́тый
сни́мок, сни́мка (*pl.* сни́мки) *m.* photograph, picture
сно́ва *adv.* again, anew, afresh
собира́тельная ли́нза *f.* converging lens
собира́ть *I/P* собра́ть gather, collect, assemble, equip
I собира́ю, -а́ешь
P соберу́, соберёшь
p. собра́л, -ла́, -ло, -ли
imp. собери́!
ppp. со́бранный
со́бственный *a.* own, personal
со́бственная частота́ resonant frequency

собы́тие, -я *n.* event, development
соверша́ть *I/P* соверши́ть accomplish, perform, commit
I соверша́ю, -а́ешь
P совершу́, соверши́шь
p. соверши́л *imp.* соверши́!
ppp. совершённый
соверше́нный *a.* perfect, absolute, complete
sh. соверше́нен, соверше́нна, -о, -ы
сове́товать *I/P* посове́товать advise, council
I сове́тую, -уешь
p. сове́товал *imp.* сове́туй!
совмеща́ть *I/P* совмести́ть combine
I совмеща́ю, -а́ешь
P совмещу́, совмести́шь
p. совмести́л *imp.* совмести́!
ppp. совмещённый
совпада́ть *I/P* совпа́сть coincide, concur
I совпада́ет
P совпадёт *p.* совпа́л
совреме́нный *a.* contemporary, modern
sh. совреме́нен, совреме́нна, -о, -ы
совсе́м *adv.* quite, entirely, totally, completely
согла́сно *prep. with dat.* according to, in accord with
со́да, -ы *f.* soda, sodium carbonate
содержа́ть *I* contain, keep, maintain, provide
содержу́, соде́ржишь
p. содержа́л *imp.* содержи́!
соединя́ть *I/P* соедини́ть unite, join, combine
I соединя́ю, -я́ешь
P соединю́, соедини́шь
p. соедини́л
imp. соедини́!
ppp. соединённый
соедине́ние, -я *n.* joint, chemical compound

сожале́ние, -я *n.* regret, pity, compassion

созве́здие, -я *n.* constellation

создава́ть *I/P* созда́ть create, originate, establish
I создаю́, -ёшь
P созда́м, -а́шь, -а́ст, -ади́м, -ади́те, -аду́т
со́здал, содала́, со́здало, со́здали
imp. созда́й! *ppp.* со́зданный

созда́ние, -я *n.* creation, making, work, creature

созна́тельный *a.* conscious, conscientious, deliberate
sh. созна́телен, созна́тельна, -о, -ы

созрева́ть *I/P* созре́ть ripen, mature, mellow
I созрева́ю, -а́ешь
P созре́ю, -е́ешь

сок, -а/у *m.* juice, sap

сокраща́ть *I/P* сократи́ть shorten, contract, curtail, reduce, abbreviate
I сокраща́ю, -а́ешь
P сокращу́, сократи́шь
p. сократи́л *imp.* сократи́!
ppp. сокращённый

сокраще́ние, -я *n.* shortening, abbreviation, reduction, cancellation

солёный *a.* salty
sh. со́лон, солона́, со́лоно, со́лоны

со́лнце, -а *n.* sun

соль, -и *f.* salt

сомне́ние, -я *n.* doubt

сообща́ть *I/P* сообщи́ть impart, let know, communicate, inform
I сообща́ю, -а́ешь
P сообщу́, сообщи́шь
p. сообщи́л *imp.* сообщи́!
ppp. сообщённый

соотве́тствие, -я *n.* accordance, conformity, correspondence

соотве́тствовать *I* correspond, conform
соотве́тствую, -уешь
p. соотве́тствовал
imp. соотве́тствуй!

соотноше́ние, -я *n.* correlation, ratio, alignment

соприкаса́ться *I/P* соприкосну́ться be contiguous, in contact, adjoin
I соприкаса́юсь, -а́ешься
P соприкосну́сь, соприкоснёшься

сопротивле́ние, -я *n.* resistance, impedance, strength, opposition

сосредото́чиваться *I/P* сосредото́читься concentrate
I сосредото́чиваюсь, -аешься
P сосредото́чусь, -ишься
p. сосредото́чился
imp. сосредото́чься!
imp. сосредото́чьтесь!
ppp. сосредото́ченный

соста́в, -а *m.* composition, structure

составля́ть *I/P* соста́вить put together, compose
I составля́ю, -я́ешь
P соста́влю, соста́вишь
p. соста́вил
imp. соста́вь!
ppp. соста́вленный

состоя́ние, -я *n.* condition, state, stage

состоя́ть *I* consist, be
состою́, состои́шь
p. состоя́л
(*prep.* из from, of *with gen.*)

сосу́д, -а *m.* vessel, blood vessel

сосуществова́ние, -я *n.* coexistence

сосчита́ть, сче́сть *P/I* счита́ть count, compute
P сосчита́ю, -а́ешь, сочту́, сочтёшь
p. счёл, сочла́
imp. сочти́!
ppp. сосчи́танный, сочтённый

со́тня, -и *f.* one hundred

сотру́дник, -а *m.* employee, worker, collaborator, colleague, fellow worker

сохраня́ть *I/P* **сохрани́ть** conserve, preserve, keep, save
I сохраня́ю, -я́ешь
P сохраню́, сохрани́шь
р. сохрани́л *imp.* сохрани́!
ррр. сохранённый
сочета́ние, -я *n.* combination, blending, coupling, union
сочине́ние, -я *n.* composition, work
спаса́ть *I/P* **спасти́** rescue, save, escape
I спаса́ю, -а́ешь *р.* спаса́л
P спасу́, спасёшь
р. спа́с, спасла́ *imp.* спаси́!
ррр. спасённый
спектр, -а *m.* spectrum
спектра́льный *a.* spectral
сперва́ *adv.* at first, firstly
спе́реди *adv.* in front of
специа́льный *a.* special
sh. специа́лен, специа́льна, -о, -ы
спирт, -а/у *m.* alcohol, spirit
спирто́вка, -и *f.* spirit lamp
сплошно́й *a.* solid, massive, continuous, compact
споко́йный *a.* quiet, calm, peaceful, tranquil
sh. споко́ен, споко́йна, -о, -ы
спор, -а *m.* argument, controversy
спо́рить *I/P* **поспо́рить**
I спо́рю, -ишь
р. спо́рил *imp.* спо́рь!
спо́соб, -а *m.* way, method, mode
спосо́бность, -и *f.* ability, capacity
спосо́бный *a.* able, capable
спра́ва *adv.* from the right, on/at the right, to the right
спра́вка, -и *f.* information, reference
спра́вочник, -а *m.* reference book, guide, manual
спра́шивать *I/P* **спроси́ть** ask, enquire
I спра́шиваю, -аешь
P спрошу́, спро́сишь
р. спроси́л *imp.* спроси́!
ррр. спро́шенный

спуск, -а *m.* lowering, descent, slope, drain
спуска́ть *I/P* **спусти́ть** lower, let down, unleash
I спуска́ю, -а́ешь
P спущу́, спу́стишь
р. спусти́л *imp.* спусти́!
ррр. спу́щенный
спустя́ *prep. with acc.* after, later
спу́тник, -а *m.* sputnik, satellite, *also* companion, friend, fellow traveller
сравне́ние, -я *n.* comparison
сра́внивать *I/P* **сравни́ть** compare
I сра́вниваю, -аешь
P сравню́, сравни́шь
р. сравни́л *imp.* сравни́!
ррр. сравнённый
сра́внивать *I/P* **сравня́ть** equal, even
P сравня́ю, -я́ешь
сравни́тельно *adv.* comparatively
сра́зу *adv.* at once, right away
среда́, -ы́ *f.* surroundings, environment *acc.* среду́
pl. сре́ды medium
среда́, -ы́ *f. acc.* сре́ду *pl.* сре́ды, среда́м Wednesday
среди́ *prep. with gen.* among, amongst, in the middle
сре́дний, яя, ее, ие *a.* middle, mean, average
сре́дний род neuter gender
сре́дние века́ the Middle Ages
сре́дняя шко́ла secondary school
сре́днее образова́ние secondary education
сре́дство, -а *n.* remedy, means
срок, -а/у *m.* date, term, period
ста́вить *I/P* **поста́вить** put, place, set
I ста́влю, ста́вишь
р. ста́вил *imp.* ставь!
ррр. ста́вленный
ста́дия, -и *f.* stage, phase
стака́н, -а *m.* glass

ста́лкиваться *I/P* столкну́ться
collide, clash
  I ста́лкиваюсь, -аешься
  P столкну́сь, столкнёшься
  p. столкну́лся, столкну́лась
  imp. столкни́сь! столкни́тесь!
сталь, -и *f.* steel
стально́й *a.* steel
станови́ться *I/P* стать stand, become
  I становлю́сь, стано́вишься
  p. станови́лся
  imp. станови́сь!
  P ста́ну, ста́нешь
  p. стал, ста́ла
  imp. стань!
стано́к, станка́ *m.* machine, lathe,
machine tool, bench
ста́нция, -и *f.* station
стара́ться *I/P* постара́ться endeavour, try, seek
  I стара́юсь, стара́ешься
старе́ть *I/P* постаре́ть/устаре́ть
age, grow old
  I старе́ю, -ешь *p.* старе́л
стари́нный *a.* ancient, old, antique
ста́рый *a.* old
  sh. стар, стара́, ста́ро/старо́/
ста́ры/стары́
стать *see* станови́ться
статья́, -й *f.* article, item, point,
paragraph
ствол, -а́ *m.* trunk (tree), barrel
(gun), shaft (mine)
стекло́, -а́ *n.* glass, glassware
  pl. стёкла, стёкол
стекля́нный *a.* glass
стена́, -ы́ *f.* wall
стенд, -а *m.* stand
сте́пень, -и *f.* degree, power
(*maths.*)
сте́ржень, сте́ржня *m.* pin, pivot,
bar, rod, shaft, trunk
сто́ить *I* cost, be worth
  сто́ит *p.* сто́ил
сто́йкий, ая, ое, ие *a.* stable,
steady, durable, resisting
  sh. сто́ек, стойка́, -о, -и

сто́йкость, -и *f.* endurance, durability, strength, resistance
стол, -а́ *m.* table, board
столб, -а́ *m.* post, pole, pillar,
column, pile
столе́тие, -я *n.* century
столкнове́ние, -я *n.* collision
сто́лько *adv.* so much, so many
сторона́, -ы́ *f.* side, part, aspect
  acc. сто́рону
  pl. сто́роны, сторо́н, сторона́м
стоя́ть *I* stand, be situated, stop
  стою́, стои́шь
  p. стоя́л
  imp. стой!
страна́, -ы́ *f.* country, land
стра́ны све́та points of the com-
pass
страни́ца, -ы *f.* page
стра́нность, -и *f.* strangeness
стра́нный *a.* strange, queer, odd
  sh. стра́нен стра́нна, -о, -ы
стре́лка, -и *f.* pointer, hand,
arrow, needle
стреми́ться *I* speed, rush, seek,
aim, strive
  стремлю́сь, стреми́шься
  p. стреми́лся
  imp. стреми́сь!
стро́гий, ая, ое, ие *a.* strict,
severe, austere
строе́ние, -я *n.* construction,
structure
строи́тельный *a.* building, construction
стро́ить *I/P* постро́ить build
  I стро́ю, стро́ишь
  p. стро́ил
  imp. строй!
структу́ра, -ы *f.* structure,
pattern
струя́, -й *f.* jet, spurt, stream
  pl. стру́и, струй, стру́ям
студе́нт, -а *m.* student (under-
graduate)
ступе́нь, -и *f.* stage, phase
  ступе́нь разви́тия stage of
development

стя́гивать *I/P* **стяну́ть** tighten, tie up, brace, contract, constrict
I стя́гиваю, -аешь
P стяну́, стя́нещь
  p. стяну́л
  imp. стяни́!
  ppp. стя́нутый
суббо́та, -ы *f.* Saturday
суди́ть *I* judge, try
сужу́, су́дишь
  p. суди́л *imp.* суди́!
  ppp. сужде́нный
су́дно, -а *n.* vessel, craft
  pl. суда́, судо́в
судьба́, -ы́ *f.* fate, destiny
  pl. су́дьбы, су́деб, су́дьбам
сульфа́т, -а *m.* sulphate
суме́ть *P/I* **уме́ть** be able, manage, succeed
P суме́ю, суме́ешь
су́мма, -ы *f.* sum, sum total
суро́вый *a.* severe, stern
су́тки, су́ток *pl.* day, 24 hours
сухо́й *a.* dry, arid
  sh. сух, суха́, су́хо, су́хи
су́ша, -и *f.* land, dry land
суши́ть *I/P* **вы́сушить** dry
I сушу́, су́шишь
  p. суши́л *imp.* суши́!
P вы́сушу, вы́сушишь
  p. вы́сушил
  imp. вы́суши!
  ppp. су́шенный, сушёный
    вы́сушенный
суще́ственный *a.* essential
существо́, -а́ *n.* essence, being
существова́ть *I* exist, be
существу́ю, -у́ешь
  p. существова́л
  imp. существу́й!
су́щность, -и *f.* essence, main point
  су́щность состои́т в том the main point is
сфе́ра, -ы *f.* sphere
сфери́ческий, ая, ое, ие *a.* spherical
схе́ма, -ы *f.* diagram, sketch, scheme

схо́дство, -а *n.* likeness, resemblance
схо́дный *a.* similar, analogous
сце́на, -ы *f.* scene, stage
сцепле́ние, -я *n.* coupling, cohesion, adhesion, clutch
счёт, -а *m.* calculation, account, expense
счётчик, -а *m.* counter, meter, computer
счита́ть *I/P* **сосчита́ть/счесть** count, reckon, consider, compute
I счита́ю, -а́ешь
P сосчита́ю, -а́ешь, сочту́, сочтёшь
  p. счёл, сочла́
  imp. сочти́!
  ppp. счи́танный
съёмка, -и *f.* survey, plotting, shooting (film)
сы́воротка, -и *f.* serum
сыгра́ть *see* игра́ть
сырьё, -я́ *n.* raw material
сюда́ *adv.* here, to this place

табли́ца, -ы *f.* table
таи́нственный *a.* mysterious, secret, enigmatic
  sh. таи́нствен, таи́нственна, о, ы
та́йна, -ы *f.* secret, mystery
таи́ться *I* be hidden, be concealed
таю́сь, таи́шься
так *adv.* so
  так называ́емый the so-called
та́кже *adv.* also
тако́в, а́, о́, ы́ such
тако́й, а́я, о́е, и́е *pron.* such, a sort of
та́лый *a.* thawed, melted
там *adv.* there, in that place
  та́м же in the same place
таре́лка, -и *f.* plate
тверде́ть *I/P* **затверде́ть** harden, become hard
твёрдый *a.* hard, solid, firm
  sh. твёрд, тверда́, твёрдо, твёрды
тексти́льный *a.* textile

текýчесть, -и *f.* fluidity, fluctuation

телевúдение, -я *n.* television

телевúзор, -а *m.* television set
смотрéть телевúзор watch TV
по телевúзору on television

телескóп, -а *m.* telescope

телéсный ýгол *m.* solid angle

тéло, -а *pl.* телá body
небéсное тéло celestial body

темнéть *I/P* **потемнéть** become dark
I темнéю, éешь

темнотá, -ы́ *f.* dark, darkness

тёмный *a.* dark, obscure, vague, shady, ignorant
sh. тёмен, темнá, темнó, темны́

температýра, -ы *f.* temperature

тéнь, -и *f.* shade, shadow

теóрия, -ии *f.* theory
теóрия вероя́тностей theory of probability
теóрия колебáния theory of oscillation
теóрия наслéдственности theory of heredity

тепéрь *adv.* now, at present

теплó, -á *n.* heat, warmth

теплотá, -ы́ *f.* heat, warmth

тёплый *a.* warm, mild
sh. тёпел, теплá, тёпло/теплó, тёплы/теплы́

термóметр, -а *m.* thermometer

термоя́дерный *a.* thermonuclear

территóрия, -и *f.* territory

теря́ть *I/P* **потеря́ть** lose, miss
I теря́ю, -я́ешь
p. теря́л
imp. теря́й!

тéсно *adv.* tight, closely, narrowly

тéхника, -и *f.* technics, technique, engineering equipment, machinery

техни́ческий, ая, ое, ие *a.* technical

технологи́ческий, ая, ое, ие *a.* technological

течéние, -я *n.* procedure, flow, current, course

течь *I* flow, run, stream, pour
текý, течёшь, течёт
p. тёк, теклá

ти́гель, ти́гля *m.* crucible

тип, -а *m.* type, kind, model, pattern, class

типи́чный *a.* typical, characteristic
sh. типи́чен, типи́чна

ти́хий, ая, ое, ие *a.* quiet, silent, calm
sh. тих, тихá, ти́хо, ти́хи

ткань, -и *f.* fabric, cloth, material, tissue

тó есть that is

тогдá *adv.* then, at that time, in that case

ток, -а *m.* current
переме́нный ток alternating current (AC)
постоя́нный ток direct current (DC)

толкáть *I/P* **толкнýть** push, shove, incite
I толкáю, áешь
P толкнý, -ёшь
p. толкнýл *imp.* толкни́!

тóлстый *a.* stout, fat, thick, heavy
sh. толст, толстá, тóлсто, тóлсты/толсты́

толчóк, толчкá *m.* push, jerk, jolt, shock, impetus, impulse

толщинá, -ы́ *f.* thickness, stoutness, corpulence

тóлько *adv.* only, merely, solely

тóнкий, ая, ое, ие *a.* thin, fine, precise, delicate, slender, slim
sh. тóнок, тонкá, тóнко, тóнки

тóнкость, -и *f.* thinness, fineness

тóнна, -ы *f.* ton

тóпка, -и *f.* heating, fire chamber, furnace

тóпливо, -а *n.* fuel, firing
жи́дкое тóпливо fuel oil
твёрдое тóпливо solid fuel

тормози́ть *I/P* **затормози́ть** brake, hamper, hinder, retard
I торможý, тормози́шь
p. тормози́л *imp.* тормози́!

тормозно́й *a.* brake, retarding
  тормозна́я устано́вка retarding device
торф, -а *m.* peat
то́чка, -и *f.* point, full-stop, dot
то́чно *adv.* exactly, precisely
то́чность, -и *f.* exactness, pre-
  cision
трава́, -ы́ *f.* grass *pl.* тра́вы
тра́тить *I/P* истра́тить/потра́тить
  I тра́чу, тра́тишь *p.* тра́тил
  imp. трать! *ppp.* тра́ченный
  waste
тре́бовать spend, expend, waste
  P потре́бовать
  I тре́бую, тре́буешь
  p. тре́бовал *imp.* тре́буй!
  ppp. тре́бованный
тре́ние, -я *n.* friction, rubbing
тре́ск, -а *m.* crack, noise
тре́тий, тре́тья, тре́тье *num.* third
треть, -и *f.* third part
треуго́льник, -а *m.* triangle
треща́ть *I/P* тре́снуть clack,
  chap, burst
  I трещу́, трещи́шь *p.* треща́л
  imp. трещи́!
  P тре́сну, -ешь
  p. тре́снул
  ppp. тре́снутый
тре́щина, -ы *f.* crack, split
три́жды *adv.* three times, thrice
тройно́й *a.* threefold, triple
труба́, -ы́ *f.* pipe, chimney, funnel
тру́бка, -и *f.* pipe, tube, scroll
  gen. pl. тру́бок
труд, -а́ *m.* labour, work
труди́ться *I/P* потруди́ться
  toil, labour
  I тружу́сь, тру́дишься
  p. труди́лся труди́сь!
тру́дный *a.* difficult, hard,
  arduous
  sh. тру́ден, трудна́, тру́дно,
  тру́дны/трудны́
туберкулёз, -а *m.* tuberculosis
ту́го *adv.* tightly, tight, with
  difficulty

тума́н, -а *m.* fog, mist
тума́нность, -и *f.* nebula
турби́на, -ы *f.* turbine
ту́склый *a.* dull, dim, dreary
  sh. ту́скл, тускла́, о, ы
тут *adv.* here, in this place
ту́ча, -и *f.* cloud, black cloud
тща́тельный *a.* careful, thorough
  sh. тща́телен, тща́тельна, -о, -ы
ты́сяча, -и *f.* thousand *instr.*
  ты́сячей/ты́сячью
тьма, -ы *f.* darkness
тя́га, -и *f.* traction, draught
тяготе́ние, -я *n.* gravity, gravitation, inclination
тяжёлый *a.* heavy, weighty, hard,
  difficult
  sh. тяжёл, тяжела́, тяжело́,
  тяжелы́
тя́жесть, -и *f.* gravity, load,
  weight, burden
тяну́ть *I* pull, draw, drag, haul,
  stretch
  тяну́, тя́нешь
  p. тяну́л
  imp. тяни́!

у *prep. with gen.* at, by, near, to
убега́ть *I/P* убежа́ть run away,
  escape, boil over
  I убега́ю, -а́ешь
  P убегу́, убежи́шь
  imp. убеги́!
убеди́тельный *a.* convincing, per-
  suasive, conclusive
убежда́ть *I/P* убеди́ть convince,
  persuade
убежде́ние, -я *n.* persuasion, con-
  viction
убира́ть *I/P* убра́ть remove, put
  away, take off
  I убира́ю, -а́ешь
  P уберу́, уберёшь
  p. убра́л, убрала́, а́ло, а́ли
  imp. убери́! *ppp.* у́бранный
убыва́ние, -я *n.* decrease, diminution, subsidence, falling

убыва́ть *I/P* убы́ть decrease,
  diminish, subside
  I убыва́ю, -а́ешь
  P убу́ду, убу́дешь
  p. у́был, убыла́, у́было,
    у́были
убы́ль, -и *f.* diminution, decrease,
  subsidence
увеличе́ние, -я *n.* increase, extension, magnification
увели́чивать *I/P* увели́чить increase, magnify, enlarge
  I увели́чиваю, -аешь
  P увели́чу, -ишь
  p. увели́чил *imp.* увели́чь!
  ppp. увели́ченный
уве́ренный *a.* sure, assured, con-
  fident, positive
  sh. уве́рен, -а, -о, -ы
уверя́ть *I/P* уве́рить assure, convince, persuade
  I уверя́ю, -я́ешь
  P уве́рю, -ишь
  p. уве́рил *imp.* уве́рь!
  ppp. уве́ренный
уви́деть *P/I* ви́деть see, meet
  I ви́жу, ви́дишь   *p.* ви́дел
  P уви́жу, уви́дишь
  p. уви́дел
  ppp. уви́денный
увлажня́ть *I/P* увлажни́ть
  moisten
  I увлажня́ю, -я́ешь
  p. увлажни́л
  P увлажню́, -и́шь
  p. увлажни́л
  imp. увлажни́!
  ppp. увлажнённый
увлека́ть *I/P* увле́чь absorb,
  carry, attract, influence
  I увлека́ю, -аешь
  P увлеку́, увлечёшь, увлеку́т
  p. увлёк, увлекла́
  imp. увлеки́!
  ppp. увлечённый
увлечённый *part.* carried away
  sh. увлечён, -ена́, -ено́, -ены́
угаса́ние, -я *n.* extinction, fading

угаса́ть *I/P* уга́снуть die away"
  go out
  I угаса́ю, -а́ешь
  P уга́сну, -снешь
  p. уга́с, уга́сла
углево́д, -а *m.* carbohydrate
углеводоро́д, -а *m.* hydrocarbon
углекислота́, -ы́ *f.* carbon
  dioxide, carbonic acid
углеки́слый газ *m.* carbonic acid
  gas, CO_2
углеро́д, -а *m.* carbon
углово́й *a.* angular
углубля́ть *I/P* углуби́ть deepen,
  go into, investigate
  I углубля́ю, -я́ешь
  P углублю́, -и́шь
  p. углуби́л, а, о, и
  imp. углуби́!
  ppp. углублённый
у́гол, угла́ *m./pl.* углы́, угло́в
  corner, angle
  на/в углу́ in the corner (or, in
  maths. в угле́, на угле́)
у́голь, у́гля/угля́ *pl.* у́гли, у́глей/
  у́голья, у́гольев coal, charcoal
у́гольный *a.* coal
  у́гольное месторожде́ние coal-
  field
  у́гольный пласт coal bed, coal
  seam
удава́ться *I/P* уда́ться succeed,
  turn out well, work well
  I удаётся
  p. удава́лся, удава́лась
  P уда́стся
  p. уда́лся, удала́сь
удале́ние, -я *n.* moving off, re-
  moteness, escape
удалённый *part.* far off, removed,
  withdrawn, distant
удаля́ться *I/P* удали́ться remove, expel, extract, abolish,
  deviate, withdraw
  I удаля́юсь, удаля́ешься
  P удалю́сь, удали́шься
  p. удали́лся *imp.* удали́сь!

удáр, -а *m.* impact, blow, hit, stroke, shock, percussion, thrust

ударéние, я *n.* stress, emphasis

удáрный *a.* impact, percussion, percussive, shock

ударя́ться *I/P* удáриться strike against, bump
  I ударя́юсь, ударя́ешься
  P удáрюсь, удáришься
  p. удáрился
  imp. удáрься! удáрьтесь!

удáться *see* удавáться

удáчный *a.* successful, lucky

удвоéние, -я *n.* doubling, redoubling

удéльный *a.* specific
  удéльный вес specific weight, gravity
  удéльная теплоёмкость specific heat

удéрживать *I/P* удержáть restrain, retain, withhold, keep from
  I удéрживаю, -аешь
  P удержу́, удéржишь
  p. удержáл *imp.* удержи́!
  ppp. удéржанный

удивля́ть *I/P* удиви́ть amaze, astonish, surprise
  I удивля́ю, -я́ешь
  P удивлю́, удиви́шь
  p. удиви́л *imp.* удиви́!
  ppp. удивлённый

удиви́тельный *a.* wonderful, surprising, striking

удлиня́ть *I/P* удлини́ть lengthen, expand, prolong
  I удлиня́ю, -я́ешь
  P удлиню́, йшь
  p. удлини́л *imp.* удлини́!
  ppp. удлинённый

удóбный *a.* convenient, favourable, comfortable, handy
  sh. удóбен, удóбна

удобрéние, -я *n.* fertilizer, fertilization

удóбство, -а *n.* convenience, comfort

удовлетвори́тельный *a.* satisfactory
  sh. удовлетвори́телен, удовлетвори́тельна

удовлетворя́ть *I/P* удовлетвори́ть satisfy, gratify, content
  I удовлетворя́ю, -я́ешь
  P удовлетворю́, -и́шь
  p. удовлетвори́л
  imp. удовлетвори́!
  ppp. удовлетворённый

уезжáть *I/P* уéхать go away, depart, leave
  I уезжáю, -áешь
  P уéду, уéдешь
  p. уéхал
  imp. уезжáй!

уж/ужé *adv. & partic.* already

у́же *comp. of* у́зкий narrower, more narrow *& corresp. adv.*

у́зел, узлá *m.* knot, bundle, junction, mode
  в узлé *pl.* узлы́, узлóв

у́зкий, ая, ое, ие *a.* narrow, tight
  sh. у́зок, узкá, у́зко, у́зки/узки́

узнавáть *I/P* узнáть recognize, identify, learn, discover
  I узнаю́, -ёшь
  p. узнавáл
  imp. узнавáй!
  P узнáю, -áешь
  p. узнáл
  imp. узнáй!
  ppp. у́знанный

узóр, -а *m.* pattern, design, model, figure, drawing

уйти́ *P/I* уходи́ть go away, leave
  P уйду́, уйдёшь
  p. ушёл, ушлá, -лó, -ли́

указáтель, -я *m.* gauge, indicator, pointer

укáзывать *I/P* указáть point out, indicate, show
  I укáзываю, -аешь
  P укажу́, укáжешь
  p. указáл
  imp. укажи́!
  ppp. укáзанный

укла́дывать *I/P* уложи́ть lay, pack
I укла́дываю, -аешь
P уложу́, уло́жишь
   p. уложи́л *imp.* уложи́!
   ppp. уло́женный
укрепля́ть *I/P* укрепи́ть fasten,
strengthen, fortify
I укрепля́ю, -я́ешь
укреплю́, укрепи́шь
   p. укрепи́л *imp.* укрепи́!
   ppp. укреплённый
у́ксус, -а *m.* vinegar
у́ксусная кислота́ acetic acid
ула́вливать *I/P* улови́ть catch,
grasp
I ула́вливаю, -ешь
P уловлю́, уло́вишь
   p. улови́л *imp.* улови́!
   ppp. уло́вленный
улучша́ть *I/P* улу́чшить improve, better
I улучша́ю, -а́ешь
P улу́чшу, улу́чшишь
   p. улу́чшил *imp.* улу́чши!
   ppp. улу́чшенный
ультразву́к, -а *m.* ultra sound
уменьша́ть *I/P* уме́ньшить decrease, diminish, reduce
I уменьша́ю, -а́ешь
P уме́ньшу, -ишь
   p. уме́ньшил *imp.* уме́ньши!
   ppp. уменьшённый, уме́ньше-
нный
   also уменьши́ть
   уменьшу́, -и́шь
   уменьши́л *imp.* уменьши́!
уме́ть *I/P* суме́ть be able, know how
I уме́ю, -ееешь
   p. уме́л *imp.* уме́й!
P суме́ю
   p. суме́л *imp.* суме́й!
умира́ть *I/P* умере́ть die, pass
away
I умира́ю, -а́ешь
   p. умира́л
P умру́, умрёшь
   p. у́мер, умерла́, о, и
   imp. умри́!

умножа́ть *I/P* умно́жить increase, multiply, augment
I умножа́ю, -а́ешь
P умно́жу, -ишь
   p. умно́жил
   imp. умно́жь!
   ppp. умно́женный
у́мный *a.* clever, intelligent,
sensible
   sh. умён, умна́, у́мно/умно́
   у́мны/умны́
универса́льный *a.* universal
   sh. универса́лен, универса́льна,
   о, ы
университе́т, -а *m.* university
уничтожа́ть *I/P* уничто́жить
destroy, annihilate, abolish, ex-
terminate
I уничтожа́ю, -а́ешь
P уничто́жу, -ишь
   p. уничто́жил
   imp. уничто́жь!
   ppp. уничто́женный
уноси́ть *I/P* унести́ take away,
carry away
I уношу́, уно́сишь
   p. уноси́л *imp.* уноси́!
P унесу́, унесёшь
   p. унёс, унесла́ *imp.* унеси́!
   ppp. унесённый
уплотне́ние, -я *n.* packing, tight-
ening, compression, consolida-
tion
упомина́ть *I/P* упомяну́ть mention, quote, make reference,
state
I упомина́ю, -а́ешь
P упомяну́, упомя́нешь
   p. упомяну́л *imp.* упомяни́!
   ppp. упомя́нутый
употребля́ть *I/P* употреби́ть use,
make use, employ, apply
I употребля́ю, -я́ешь
P употреблю́, употреби́шь
   p. употреби́л *imp.* употреби́!
   ppp. употреблённый
управля́емый снаря́д *m.* guided
missile

управля́ть *I with instr.* control, manage, govern, rule, steer
управля́ю, -я́ешь

упражне́ние, -а *n.* exercise

упроща́ть *I/P* упрости́ть simplify, over simplify, render less complex
I упроща́ю, -а́ешь
P упрощу́, упрости́шь
imp. упрости́! *ppp.* упрощённый

упру́гий, -ая, -ое, -ие *a.* elastic, resilient
sh. упру́г, а, о, и

упру́гость, -и *f.* elasticity, resilience

упуска́ть *I/P* упусти́ть let go, omit, forget, overlook, miss
I упуска́ю, -а́ешь
P упущу́, упу́стишь
p. упусти́л *imp.* упусти́!
ppp. упу́щенный

уравне́ние, -я *n.* equalization, equation, levelling, planing
уравне́ние пе́рвой сте́пени simple equation
уравне́ние квадра́тное quadratic equation

уравнове́шивать *I/P* уравнове́сить balance, poise, equilibrium, counter-balance, counterpoise
I уравнове́шиваю, -аешь
P урановещу́, уравнове́сишь
p. уравнове́сил
imp. уравнове́сь!
ppp. уравнове́шенный

урага́н, а *m.* hurricane, tornado

ура́н, -а *m.* uranium

у́ровень, у́ровня *m.* level, standard, surface

усиле́ние, я *n.* reinforcement, amplification, increase

уси́ливать *I/P* уси́лить strengthen, reinforce, amplify, intensify, step up
I уси́ливаю, -аешь
P уси́лю, -ишь
p. уси́лил *imp.* уси́ль!
ppp. уси́ленный

уси́лие, -я *n.* effort, stress, exertion, force

усили́тель, -я *m.* amplifier

ускоре́ние, -я *n.* acceleration

ускори́тель, -я *m.* accelerator

ускоря́ть *I/P* уско́рить speed up, accelerate
I ускоря́ю, -я́ешь
P уско́рю, -ишь
p. уско́рил
imp. уско́рь!
ppp. уско́ренный

усло́вие, -я *n.* condition, proviso, stipulation

усла́вливаться *I/P* усло́виться agree, stipulate, make terms
I усла́вливаюсь, -аешься
с кем? with whom? *instr.*
о чём? about what? *prep.*
P усло́влюсь, -ишься
p. усло́вился
imp. усло́вься! усло́вьтесь!
ppp. усло́вленный

усло́вный *a.* conditional, conventional, stipulated, arbitrary
sh. усло́вен, усло́вна, о, ы

усложня́ть *I/P* усложни́ть complicate, perplex
I усложня́ю, -я́ешь
P усложню́, -и́шь
p. усложни́л
imp. усложни́!
ppp. усложнённый

усма́тривать *I/P* усмотре́ть perceive, discern, notice, discover
I усма́триваю, -аешь
P усмотрю́, -ишь
p. усмотре́л
imp. усмотри́!
ppp. усмо́тренный

усоверше́нствовать *P/I* соверше́нствовать improve, perfect, perfectionate
I соверше́нствую, -уешь
P усоверше́нствую, -уешь
p. усоверше́нствовал
imp. усоверше́нствуй!
ppp. усоверше́нствованный

успевáть *I/P* успéть succeed, be successful, progress
I успевáю, -áешь
P успéю, -éешь
успéх, -а *m.* success
успéшный *a.* successful
sh. успéшен, успéшна, успéшно, успéшны
устáлый *a.* tired, weary, worn out
устанáвливать *I/P* установи́ть fix, establish, ascertain, set, place
I устанáвливаю, -аешь
P установлю́, устанóвишь
p. установи́л
imp. установи́!
ppp. устанóвленный
установка, -и *f.* set up, equipment, installation, fixing apparatus, erection, plant
установлéние, -я *n.* establishment
ýстный *a.* oral, verbal
устóйчивый *a.* resistant, stable, steady, solid, firm
устóйчивость, -и *f.* stability, firmness, steadiness
устрáивать *I/P* устрóить organize, arrange, settle
I устрáиваю, -ешь
P устрóю, -ишь
p. устрóил *imp.* устрóй!
ppp. устрóенный
устранять *I/P* устрани́ть remove, eliminate
I устраня́ю, -я́ешь
P устраню́ -и́шь
p. устрани́л *imp.* устрани́!
ppp. устранённый
устремля́ться *I/P* устреми́ться direct, fix, rush, swarm
I устремля́юсь, -я́ешься
P устремлю́сь, -и́шься
p. устреми́лся
imp. устреми́сь!
ppp. устремлённый
устрóйство, -а *n.* apparatus, set-up, organization, arrangement, mechanism, structure

уступáть *I/P* уступи́ть give up, concede, yield
I уступáю, -áешь
P уступлю́, усту́пишь
p. уступи́л *imp.* уступи́!
ppp. усту́пленный
утверждáть *I/P* утверди́ть affirm, assert, maintain, allege, endorse, sanction
I утверждáю, -áешь
P утвержу́, -и́шь
p. утверди́л
imp. утверди́!
ppp. утверждённый
уточня́ть *I/P* уточни́ть define, precise, refine, specify
I уточня́ю, -я́ешь
P уточню́, -и́шь
p. уточни́л
imp. уточни́!
ppp. уточнённый
уходи́ть *I/P* уйти́ go away, depart, leave
I ухожу́, ухóдишь
p. уходи́л
P уйду́, уйдёшь
p. ушёл *ppp.* ушлá
imp. уйди́!
учáствовать *I* take part, participate, have a share
учáствую, -уешь
p. учáствовал *imp.* учáствуй!
в чём? in what? *prep.*
учáствовать в рабóте participate in work
учáстие, -я *n.* participation, part
учáсток, учáстка *pl.* учáстки lot, plot, part, section, portion, strip, branch
учéбник, -а *m.* textbook
учéние, -я *n.* studies, teaching, learning
учёный *a.* scientist, learned man
sh. учён, учёна, учёно, учёны
учи́тель, -я *m.* schoolmaster, teacher
pl. учителя́, учителéй *also* учи́тели, учи́телей

учи́тывать *I/P* **уче́сть** take into account
I учи́тываю, -аешь
P учту́, учтёшь
p. учёл, учла́
imp. учти́!
ppp. учтённый
учрежда́ть *I/P* **учреди́ть** found, establish, set up
I учрежда́ю, -а́ешь
P учрежу́, учреди́шь
imp. учреди́! *ppp.* учреждённый
учрежде́ние, -я *n.* founding, establishment, institution, office
уясня́ть *I/P* **уясни́ть** explain, elucidate
I уясня́ю, -я́ешь
P уясню́, уясни́шь
p. уясни́л *imp.* уясни́!
ppp. уяснённый

фа́брика, -и *f.* factory, mill
фабри́чный *a.* factory, industrial, manufacturing
фа́за, -ы *f.* phase, stage
фа́кел, -а *m.* torch, jet
фа́кт, -а *m.* fact
факти́ческий, ая, ое, ие *a.* actual, based on fact, practical
факти́чески *adv.* practically, actually
фа́ктор, -а *m.* factor
факульте́т, -а *m.* faculty, department
фане́ра, -ы *f.* veneer, plywood
фантасти́ческий, ая, ое, ие *a.* fantastic
фарфо́р, -а *m.* porcelain, china
фая́нс, -а *m.* crockery, earthenware, pottery, faience
февра́ль, -я́ *m.* February
фено́л, -а *m.* phenol
фе́рма, -ы *f.* farm, farmstead, truss
ферме́нт, -а *m.* enzyme, ferment
ферроалюми́ний, -я *m.* ferro-aluminium
ферромагни́тный *a.* ferromagnetic
фигу́ра, -ы *f.* figure, shape

фигури́ровать *I + P* figure, be involved
фигури́рую, фигури́руешь
p. фигури́ровал, ла
фи́зик, -а *m.* physicist
физи́чески *adv.* physically
физи́ческий, ая, ое, ие *a.* physical
фикси́ровать *I/P* **зафикси́ровать** fix, settle
I фикси́рую, -уешь
imp. фикси́руй!
ppp. фикси́рованный
фикти́вный *a.* fictitious
филосо́фия, -и *f.* philosophy
фи́льтр, -а *m.* filter
фильтра́т, -а *m.* filtrate
фиоле́товый *a.* violet
фитохро́м, -а *m.* phytochrome
флуктуа́ция, -и *f.* fluctuation
флуоресце́нция, -и *f.* fluorescence
фо́кус, -а *m.* focus (also trick)
фокуси́ровать *I/P* **сфокуси́ровать** focus
фо́льга, -и *f.* foil, tinfoil
фон, -а *m.* background
фо́рма, -ы *f.* form, shape, configuration, pattern, mould
форма́ция, и *f.* formation
фо́рмула, -ы *f.* formula
формули́ровать *I + P* formulate
формули́рую, формули́руешь
p. формули́ровал
ppp. формули́рованный
фо́сфор, -а *m.* phosphorus
фотоаппара́т, -а *m.* camera
фотобума́га, -и *f.* photographic paper
фото́граф, -а *m.* photographer
фотографи́ровать *I/P* **сфотографи́ровать** photograph
I фотографи́рую, фотографи́руешь
p. фотографи́ровал
imp. фотографи́руй!
ppp. фотографи́рованный
фотогра́фия, -и *f.* photography, photograph
фото́н, -а *m.* photon

фотопласти́нка, -и *f.* photographic plate
фотоплёнка, -и *f.* film
фотослой, -я *m.* photo-emulsion
фотоэлектри́ческий, ая, ое, ие *a.*
photo-electric
фотоэлеме́нт, -а *m.* photo-element,
photo-electric device
фотоэффе́кт, -а *m.* photo-effect
францу́зский, ая, ое, ие *a.* French
фрезерова́ние, -я *n.* milling
фрикцио́нный *a.* friction
фру́кт, -а *m.* fruit
фунда́мент, -а *m.* foundation,
groundwork
фу́нкция, -и *f.* function
футля́р, -а *m.* case, box, chest
фто́р, -а *m.* fluorine

хао́с, -а *m.* chaos, mess
хаоти́ческий, ая, ое, ие *a.* chaotic,
confused
хара́ктер, -а *m.* disposition, temper, character
характеризова́ть *I* + *P* character-
ize, describe, be characteristic of
характеризу́ю, -у́ешь
p. характеризова́л
ppp. характеризо́ванный
характери́стика, -и *f.* character,
description
хара́ктерный *a.* stubborn
sh. хара́ктерен, хара́ктерна
характе́рный *a.* characteristic,
typical
sh. характе́рен, характе́рна
хвали́ть *I*/*P* похвали́ть praise,
commend
I хвалю́, хва́лишь
p. хвали́л, ла
хвата́ть *I*/*P* схвати́ть snatch,
seize, grasp, grip
P схвачу́, схва́тишь
p. схвати́л
хвата́ть *I*/*P* хвати́ть *impers.*
suffice, be sufficient
I хвата́ет
P хва́тит

хвост, -а́ *m.* tail, end, rear, queue
хи́мик, -а *m.* chemist, student of
chemistry
хими́ческий, ая, ое, ие *a.* chemical
хи́мия, -и *f.* chemistry
хиру́рг, а *m.* surgeon
хирурги́я, -и *f.* surgery
хлеб, -а bread *pl.* хле́бы, хле́бов
loaves of bread
хлеба́, хлебо́в grain, grain crops
хло́пок, -пка *m.* cotton, cotton
plant
хлопо́к, -пка́ *m.* bang, clap
хлопчатобума́жная промы́шле-
нность cotton industry
хлор, -а *m.* chlorine
хло́ристый *a.* chloride
ход, -а/у *pl.* хо́ды/ходы́ *gen.*
хо́дов/ходо́в motion, movement, behaviour, course
ходи́ть, хожу́, хо́дишь *I indeter-
minate,* go, walk
(*I determinate* идти́: иду́, идёшь)
хозя́ин, -а *m.* master, boss
хозя́йство, -а *n.* economy
хо́лод, а/у *m.* cold
холоди́льник, -а *m.* refrigerator,
condenser
холосто́й *a.* single, unmarried,
idle, dummy, blanc
sh. хо́лост, холоста́, хо́лосто,
хо́лосты
хоро́ший, ая, ее, ие *a.* good
sh. хоро́ш, хороша́, хорошо́,
хоро́ший
хоте́ть *I*/*P* захоте́ть wish, want,
desire
I хочу́, хо́чешь, хо́чет, хоти́м,
хоти́те, хотя́т
мне́ хо́чется I should like
хоть/хотя́ *cj.* although
хране́ние, -я *n.* storage, preservation
храни́ть *I* keep, safeguard, guard
храню́, храни́шь *p.* храни́л
хребе́т, хребта́ *m. pl.* хребты́, -о́в
spine, backbone, mountain
range

хром, -а *m.* chromium
хромати́ческий, ая, ое, ие *a.* chromatic
хруста́ль, -я́ *m.* cut glass, crystal
хрусте́ть *I/P* **хру́стнуть** crackle, crunch
I хрущу́, хрусти́шь хрусти́т
P хру́стну, хру́стнешь, хру́стнет
хру́пкий, ая, ое, ие *a.* fragile, frail, brittle, delicate
sh. хру́пок, хрупка́, хру́пко, хру́пки
хрящ, хряща́ *m.* cartilage, gristle
ху́до *adv.* ill, badly
худо́жественный *a.* artistic
sh. худо́жествен, худо́жественна
худо́й *a.* bad, inferior, poor, lean, thin
sh. худ, худа́, ху́до, ху́ды
ху́дший, ая, ее, ие *comp. a. from* худо́й bad, worse
ху́же *comp. adv. from* пло́хо worse, it is worse

ца́пка, -и *f.* cornerplate *gen. pl.* ца́пок
ца́пфа, -ы *f.* journal, pin, trunnion, neck
ца́рство, -а *n.* kingdom, realm
ца́рская во́дка *f.* aqua regis, aqua regia
цвести́ *I* flower, bloom
цвету́, цветёшь
p. цвёл, цвела́
цвет, -а/у *m.* colour, bloom
pl. цвета́, цвето́в colours
цветы́ -о́в flowers
цветно́й *a.* coloured, non-ferrous
цветно́й мета́лл non-ferrous metal
цветна́я металлу́ргия metallurgy of non-ferrous metals
цёвка, -и *f. gen. pl.* цёвок reel, spool, bobbin
цеди́ть *I* strain, filter
цежу́, цеди́шь
p. цеди́л, цеди́ла

целесообра́зный *a.* expedient, advisable, suitable
sh. целесообра́зен, целесообра́зна, целесообра́зны
целико́м *adv.* entirely, totally, completely, as a whole, wholly
целина́, -ы́ *f.* virgin soil
по целине́ across country
цёлое, -ого *n.* whole, total, integer
цёлый *a.* whole, entire, integral
sh. цел, цела́, цёло, цёлы
цель, -и *f.* aim, goal, object, purpose, intention
цемёнт, -а *m.* cement
цена́, -ы́ *acc.* цёну *pl.* цёны, цен, цёнам price, charge, cost, value
цена́ делёния scale (degree of accuracy) of calibration
цени́ть *I* estimate, value, appreciate
ценю́, цёнишь *p.* цени́л, цени́ла
цённый *a.* valuable, precious
sh. цёнен, цённа, цённо, цённы
центр, -а *m.* centre, center, middle
центр тя́жести centre of gravity
централизи́ровать *I* и *P* centralize
централизи́рую, -уешь
p. централизи́ровал, ла
центра́льный *a.* central
центробёжный *a.* centrifugal
центростреми́тельный *a.* centripetal (*phys.*)
центростреми́тельная си́ла centripetal force
цепно́й *a.* chain, catenary
цепо́чка, -и *f.* small chain
цепь, -и *f. pl.* цёпи, цепёй chain, circuit
цех, -а *m. pl.* цёхи/цеха́, цехо́в/цехо́в shop at factory, works shop, department, guild
в цёхе/в цеху́
циани́н, -а *m.* cyanine
циани́ческий, ая, ое, ие *a.* cyanine
ци́кл, -а *m.* cycle
цикли́ческий, ая, ое, ие *a.* cycle

циклотро́н, -а *m.* cyclotron

цили́ндр, -а *m.* cylinder

цилиндри́ческий, ая, ое, ие *a.* cylindrical

цинга́, -и́ *f.* scurvy

цинк, -а *m.* zinc

цита́та, -ы *f.* quotation, citation

цити́ровать *I/P* процити́ровать quote, cite

  I цити́рую, цити́руешь

ци́фра, -ы *f.* figure, cipher, number, numeral

чай, -я/ю *m./pl.* чаи́, чаёв tea

  вкус ча́я taste of tea

  стака́н ча́ю glass of tea в ча́е/в ча́ю, о ча́е

ча́йник, -а *m.* teapot

час, -а/у (with numbers 2, 3, 4 два часа́, три часа́) *m.* hour

  pl. часы́, -о́в hours or clock

  кото́рый час? what's the time?

  в кото́ром часу́? at what time?

части́ца, -ы *f.* particle

части́чный *a.* partial

части́чно *adv.* partially

ча́сто *adv.* often

частота́, -ы́ *pl.* частоты, частот, частотам *f.* frequency

ча́стный *a.* particular

ча́стый *a.* frequent

  sh. част, часта́, ча́сто, ча́сты

часть, -и *pl.* ча́сти, часте́й *f.* part

часы́, -о́в (*pl. only*) watch, clock

ча́шка, -и *f.* cup *gen. pl.* ча́шек

ча́ще *comp. a. from* ча́стый more frequent *or* more frequently

  cf. adv. ча́сто often

чей, чья, чьё, чьи *pron.* whose?

челове́к, -а *m.* (*pl.* лю́ди, люде́й) man, human being

  мно́го люде́й many people

  but пять челове́к 5 persons

челове́чество, -а *n.* humanity, mankind

чем *cj.* than, instead of, with what?

чередова́ться *I* alternate, take turns

  череду́юсь, -у́ешься

  p. чередова́лся, чередова́лась

че́рез *prep. with acc.* through, across, per, over, via

чёрный *a.* black

  sh. чёрен, черна́, черно́ черны́

  also possible чёрно, чёрны

черта́, -ы́ *f.* line, border, trait, feature, characteristic

чертёж, -а́ *m. pl.* чертежи́, -е́й draught, drawing, sketch, plan, design

черти́ть *I/P* начерти́ть draw, delineate, sketch, diagram

  I черчу́, че́ртишь

  p. черти́л

чеса́ть *I/P* почеса́ть scratch, comb

  I чешу́ че́шешь

  p. чеса́л *imp.* чеши́!

  ppp. чёсанный

че́стный *a.* honest, upright, fair, just

  sh. че́стен, честна́, че́стно, че́стны

четве́рг, -а́ *m.* Thursday

че́тверть, -и *f.* quarter

чёткий, ая, ое, ие *a.* clear, precise, legible

  sh. чёток, четка́, чётко, чётки

чёткость, -и *f.* parity, evenness

чётный *a.* even, pair

чи́сленный *a.* numerical

число́, -а́ *n. pl.* чи́сла, чи́сел, чи́слам number, date

числи́тель, -я *m.* numerator

чи́сто *adv.* clean, it is clean, neatly

чистота́, -ы́ *f.* purity, cleanliness, neatness

чи́стый *a.* clean, pure, neat

  sh. чист, чиста́, чи́сто, чи́сты/ чисты́

чита́ть *I/P* прочита́ть/проче́сть read

член, -а *m.* member, term

член-корреспонде́нт *m.* associate

чрезвыча́йно *adv.* extraordinarily

чрезвыча́йный *a.* extraordinary
sh. чрезвыча́ен, чрезвыча́йна

что́бы *cj.* in order to, so that

чувстви́тельность, -и *f.* perception, sensitivity

чувстви́тельный *a.* sensible, perceptive, acute

чу́вствовать *I/P* **почу́вствовать** feel, sense
I чу́вствую, чу́вствуешь
p. чу́вствовал, ла

чу́вство, -а *n.* feeling, sensation

чугу́н, -а́ *m.* cast iron

чуде́сный *a.* miraculous, wonderful, lovely, marvellous
sh. чуде́сен, чуде́сна, чуде́сно, чуде́сны

чу́до, -а *pl.* чудеса́, чуде́с, чудеса́м *n.* miracle, wonder, marvel

чужо́й, а́я, о́е, и́е *a.* strange, foreign, alien

чуть *adv.* hardly, slightly *cj.* as soon as

шабло́н, -а *m.* pattern, mould, cliché

шаг -а/у *m.* step, pace, thread (of screw)
два шага́ two steps
три шага́ three steps
на ка́ждом шагу́ at every step, everywhere
о ша́ге, в ша́ге/шагу́

шага́ть *I/P* **шагну́ть** step, stride, march, pace, walk
I шага́ю, -а́ешь
P шагну́, -ёшь

ша́йба, -ы *f.* washer

ша́пка, -и *f. gen. pl.* ша́пок cap

шар, -а *m. pl.* шары́, -о́в ball, sphere, globe
два, три, четы́ре ша́ра *in maths.*

ша́рик, -а *m.* globule, globe, little ball, bulb (thermometer)

ша́риковый подши́пник ball bearing

шарни́р, -а *m.* hinge, joint

шарообра́зный *a.* ball-shaped, spherical

ша́хта, -ы *f.* mine, pit

шёлк, -а/у *m.* silk *pl.* шелка́, шелко́в
на шелку́ silk lined

шерохова́тость, -и *f.* roughness, unevenness

шерсть, -и *f.* hair (animals), wool, worsted

шерстяно́й *a.* woollen

шест, -а́ *pl.* шесты́, -о́в *m.* pole, rod
на шесте́ on the pole

шестерня́, -и́ *f. gen. pl.* шестерён (*mech.*) gear, pinion, toothed wheel

ше́стеро six *collect.*

шеф, -а *m.* chief, boss, patron

ше́я, -и *f.* neck

ши́на, -ы *f.* tyre, (*med.*) splint, (*elec.*) lens bar

ши́ре *comp. a. from* широ́кий
comp. adv. широко́ broader, wider

ширина́, -ы́ *f.* breadth, width

широ́кий, ая, ое, ие *a.* broad, wide
sh. широ́к, широка́, широко́/широко́, широ́ки/широки́

широта́, -ы́ *f. pl.* широ́ты, широ́т, широ́там breadth, width, latitude (*geog.*)

ши́хта, -ы *f.* furnace, charge, stock, burden

шкала́, -ы́ *f.* scale *pl.* шка́лы, шкал, шка́лам
верньерная шкала́ vernier dial
логарифми́ческая шкала́ logarithmic scale
шкала́ Це́льсия centigrade scale, Celsius scale

шкаф, -а *m. pl.* шкафы́, -о́в cupboard, wardrobe
о шка́фе, в шкафу́, на шкафу́

шко́ла, -ы *f.* school

шлак, -а *m.*   slag, dross, cinder

шланг, -а *m.*   hose, hosepipe, tube

шлейф, -а *m.*   train, circuit, channel

шлиф, -а *m.*   section, microsection, cut (*met.*)

шлифова́ние, -я *n.*   polishing

шлифова́ть *I/P* отшлифова́ть grind, polish
    I шлифу́ю, -у́ешь
        p. шлифова́л

шлюз, -а *m.*   sluice, lock

шнур, -а́ *m.* *pl.* шнуры́, -о́в cord, flex, string, lace

шов, шва *pl.* швы, швов *m.* seam, joint, stitch, commissure

шпат, -а *m.*   spar

шприц, -а *m.* *pl.* шпри́цы, -ев syringe, injector

шрифт, -а *m.*   type, letters, characters
    pl. шрифты, -ов/шрифты́, -о́в

шток, -а *m.*   rod, stem, probe, stoke

шум, -а/у *pl.* шу́мы, -ов *m.* noise, uproar

шуме́ть *I*   make a noise, be noisy, sound
    шумлю́, шуми́шь   *p.* шуме́л

щаве́левый   oxalic *a.*
    щаве́левая кислота́   oxalic acid

щаве́ль, щавеля́ *m.*   sorrel

ще́бень, ще́бня *m.*   crushed stone, shingle, ballast

щека́, -и́ *acc.* щёку *pl.* щёки, щёк, щека́м   check, face, jaw

щёлок, -а/у *m.*   lye, liquor

щёлочноземе́льный *a.*   alkali-earth

щелочно́й *a.*   alkaline

щёлочь, -и *f.* *pl.* щёлочи, щелоче́й alkali

щель, -и *f.*   aperture, fissure, split, slot
    pl. щели, щеле́й   о щели, в щели́

щепо́ть, -и, ще́поть *f.*   pinch

щётка, -и *f.*   brush, contact brush
    gen. pl. щёток

щипцы́, -о́в (*pl. only*)   pair of tongs, pincers, forceps

щит, -а́ *m.*   shield, sluice-gate, guard, screen panel, board
    pl. щита́, -о́в

эбони́т, -а *m.*   ebonite

эвакуи́рование, -я *n.*   evacuation

эвакуи́ровать *I + P*   evacuate
    эвакуи́рую, -уешь
        p. эвакуи́ровал, ла, ли
        imp. эвакуи́руй!
        ppp. эвакуи́рованный

эволю́ция, -и *f.*   evolution

ЭДС e.m.f.   электродви́жущая си́ла electromotive force

эква́тор, -а *m.*   equator

эквивале́нтный *a.*   equivalent
    sh. эквивале́нтен, эквивале́нтна, эквивале́нтны

эконо́мика, -и *f.*   economics

экономи́ческий, ая, ое, ие *a.* economic, economical
    sh. экономи́чен, экономи́чна, экономи́чны

экра́н, -а *m.*   screen

экрани́зация *f.*   screening

экрани́ровать *I + P*   screen, shield
    экрани́рую, экрани́руешь
        p. экрани́ровал

экспериме́нт, -а *m.*   experiment

эксперимента́льный *a.*   experiment, experimental

эксплуата́ция *f.*   exploitation, operation, running, maintenance

экспози́ция, -и *f.*   exposure

экстра́кт, -а *m.*   extract

эласти́чность, -и *f.*   elasticity

электри́ческий, ая, ое, ие *a.* electric, electrical
    электри́ческая дуга́   electric arc
    электри́ческий заря́д   electric charge
    электри́ческая эне́ргия   electric energy (*power*)

электри́чество, -а *n.*   electricity

электро́д, -а *m.* electrode

электродина́мика, -и *f.* electro-dynamics

электродинами́ческий, ая, ое, ие *a.* electrodynamic

электро́лиз, -а *m.* electrolysis

электролизёр, -а *m.* electrolyser

электроли́т, -а *m.* electrolyte

электролити́ческий, ая, ое, ие *a.* electrolytic

электромагни́тный *a.* electro-magnetic

электро́н, -а *m.* electron

электро́нно-лучево́й *m.* electron beam

электро́нно-лучева́я тру́бка cathode-ray tube

электро́нно-счётная маши́на electronic computer *also* электро́нная вычисли́тельная маши́на

электро́нный *a.* electron электро́нная оболо́чка electron shell

электропрово́дность, -и *f.* electric conductivity

электроста́нция, -и *f.* electric power station

электросопротивле́ние, -я *n.* electric resistance

электротехни́ческий, ая, ое, ие *a.* electrotechnical

электрофизи́ческий, ая, ое, ие *a.* electrophysical

электрохими́ческий, ая, ое, ие *a.* electrochemical

элеме́нт, -а *m.* element

элемента́рный *a.* elementary *sh.* элемента́рен, элемента́рна, элемента́рны

э́ллипс, -а, э́ллипсис, -а *m.* ellipse

эллипти́ческий *a.* elliptical

эмиссио́нный *a.* emission

эми́ссия, -и *f.* emission

эмпири́ческий, ая, ое, ие *a.* empirical *sh.* эмпири́чен, эмпири́чна, эмпири́чны

эму́льсия, -и *f.* emulsion

энерге́тика, -и *f.* energetics, power engineering

энергети́ческий, ая, ое, ие *a.* power engineering

энерги́чно *adv.* energetically, violently

эне́ргия, -и *f.* energy

энциклопе́дия, -и *f.* encyclopedia

эпо́ха, -и *f.* epoch, age, era

эпизо́д, -а *m.* episode

эпю́ра, -ы *f.* diagram

э́ра, -ы *f.* era

э́та *see* э́тот

этало́н, -а *m.* standard, calibrating device

этало́нный *a.* standard

эта́п, -а *m.* stage

эти́ловый *a.* ethyl эти́ловый спирт ethyl alcohol

э́тот, э́та, э́то, э́ти *pron.* this (these)

эфи́р, -а *m.* ether, ester

эффе́кт, -а *m.* effect

эффекти́вность, -и *f.* efficiency

эффекти́вный *a.* effective

э́хо, -а *n.* echo

ю́бка, -и *f.* skirt, shell, cup

юг, -а *m.* south к ю́гу, от to the south of на юг southward(s)

ю́го-восто́к, -а *m.* south-east ю́го восто́чный *a.*

ю́го-за́пад, -а *m.* south-west ю́го-за́падный *a.*

ю́жный *a.* south, southern

ю́ный *a.* young *sh.* юн, юна́, ю́но, ю́ны

юриди́ческий, ая, ое, ие *a.* law, legal

юстиро́вка, -и *f.* adjustment, adjusting

юфть, -и *f.* Russian leather

явле́ние, -я *n.* phenomenon, occurrence

являться *I/P* явиться appear,
  occur, arrive, seem, be
  I являюсь, являешься
  P явлюсь, явишься
    p. явился, явилась
    imp. явись!
явный *a.* obvious, evident, ap-
  parent, visible
    sh. явен, явна, явно, явны
яд, -а/у *m.* poison, toxin
    pl. яды, ядов
ядерный *a.* nuclear
ядро, -á *pl.* ядра, ядер, ядрам *n.*
  nucleus, kernel, cannon ball
ядрышко, -а *n.* nucleolus
яйцо, -á *n.* egg, ovum
    pl. яйца, яиц, яйцам
якорь, -я *m. pl.* якоря, -ей
  anchor, armature

яма, -ы *f.* well, recess, pit, de-
  pression, hole, pocket
январь, -я *m.* January
янтарный *a.* succinic, amber
яркий, ая, ое, ие *a.* bright, blazing,
  striking, brilliant
    sh. ярок, ярка, ярко, ярки
яркость, -и *f.* intensity, brightness, brilliance
ясность, -и *f.* clarity
ясный *a.* clear, lucid, distinct
    sh. ясен, ясна, ясно, ясны/
    ясны
ячейка, -и *f. gen. pl.* ячеек cell,
  alveole, mesh
ячеистый *a.* cellular, porous,
  alveolar, vesicular
ящик, -а *m.* box, crate

APPENDIX I

Summary of Grammatical Forms

I. NOUNS

Masculine

singular

	atom	ray	criterion	multiplier
nom.	а́том	луч	крите́рий	мно́житель
gen.	а́томА	лучА́	крите́риЯ	мно́жителЯ
dat.	а́томУ	лучУ́	крите́риЮ	мно́жителЮ
acc.	а́том	луч	крите́рий	мно́житель
instr.	а́томОМ	лучО́М	крите́риЕМ	мно́жителЕМ
prep.	а́томЕ	лучЕ́	крите́риИ	мно́жителЕ

plural

nom.	а́томЫ	лучИ́	крите́риИ	мно́жителИ
gen.	а́томОВ	лучЕ́Й	крите́риЕВ	мно́жителЕЙ
dat.	а́томАМ	лучА́М	крите́риЯМ	мно́жителЯМ
acc.	а́томЫ	лучИ́	крите́риИ	мно́жителИ
instr.	а́томАМИ	лучА́МИ	критéрЯМИ	мно́жителЯМИ
prep.	а́томАХ	лучА́Х	крите́риЯХ	мно́жителЯХ

Feminine

singular

	molecule	week	theory	mixture
nom.	моле́кулА	неде́лЯ	тео́риЯ	смесь
gen.	моле́кулЫ	неде́лИ	тео́риИ	смéсИ
dat.	моле́кулЕ	неде́лЕ	тео́риИ	смéсИ
acc.	моле́кулУ	неде́лЮ	тео́риЮ	смесь
instr.	моле́кулОЙ(ОЮ)	неде́лЕЙ(ЕЮ)	тео́риЕЙ(ЕЮ)	смéсьЮ
prep.	моле́кулЕ	неде́лЕ	тео́риИ	смéсИ

plural

nom.	моле́кулЫ	неде́лИ	тео́риИ	смéсИ
gen.	моле́кул	неде́ль	тео́риЙ	смéсЕЙ
dat.	моле́кулАМ	неде́лЯМ	тео́риЯМ	смéсЯМ
acc.	моле́кулЫ	неде́лИ	тео́риИ	смéсИ
instr.	моле́кулАМИ	неде́лЯМИ	тео́риЯМИ	смéсЯМИ
prep.	моле́кулАХ	неде́лЯХ	тео́риЯХ	смéсЯХ

NEUTER

singular

	substance	field	phenomenon
nom.	веществÓ	пóлЕ	явлéниЕ
gen.	веществÁ	пóлЯ	явлéниЯ
dat.	веществÝ	пóлЮ	явлéниЮ
acc.	веществÓ	пóлЕ	явлéниЕ
instr.	веществÓМ	пóлЕМ	явлéниЕМ
prep.	веществÉ	пóлЕ	явлéниИ

plural

nom.	веществÁ	полЯ́	явлéниЯ
gen.	вещéств	полÉЙ	явлéниЙ
dat.	веществÁМ	полЯ́М	явлéниЯМ
acc.	веществÁ	полЯ́	явлéниЯ
instr.	веществÁМИ	полЯ́МИ	явлéниЯМИ
prep.	веществÁХ	полЯ́Х	явлéниЯХ

NOTE:

Animate masculines have accusative as genitive both in singular and in plural.

Animate feminine nouns have accusative as genitive only in plural.

Unaccented instrumental ending **ОМ** of masculine nouns becomes **ЕМ** when preceded by **ж, ч, ш, щ** and **ц**, e.g. товáрищем, but remains **ОМ** when stressed: карандáш карандашóм.

Masculine plural nominative and inanimate accusative ending **ы** becomes **и** when preceded by **ж, ч, ш, щ, г, к, х**, e.g. нож ножи́, проводни́к проводники́, карандáш карандаши́, товáрищ товáрищи.

Masculine genitive plural ends in **ей** after **ж, ч, ш, щ**: нож ножéй, карандáш карандашéй and after **ц** in **-ев**: мéсяц мéсяцев.

Genitive singular and nominative plural (of feminine nouns, and accusative plural when inanimate ending **ы** changes to **и** after **ж, ч, ш, щ, г, к, х**: кни́га кни́ги, фи́зика фи́зики.

DECLENSION OF TYPICAL RUSSIAN SURNAMES

	m.	*f.*	*pl.*
nom	Пáвлов	Пáвлова	Пáвловы
gen.	Пáвлова	Пáвловой	Пáвловых
dat.	Пáвлову	Пáвловой	Пáвловым
acc.	Пáвлова	Пáвлову	Пáвловых
instr	Пáвловым	Пáвловой(ою)	Пáвловыми
prep.	Пáвлове	Пáвловой	Пáвловых

	m.	*f.*	*pl.*
nom.	Гага́рин	Гага́рина	Гага́рины
gen.	Гага́рина	Гага́риной	Гага́риных
dat.	Гага́рину	Гага́риной	Гага́риным
acc.	Гага́рина	Гага́рину	Гага́риных
instr.	Гага́риным	Гага́риной(ою)	Гага́риными
prep.	Гага́рине	Гага́риной	Гага́риных

	m.	*f.*	*pl.*
nom.	Быко́вский	Быко́вская	Быко́вские
gen.	Быко́вского	Быко́вской	Быко́вских
dat.	Быко́вскому	Быко́вской	Быко́вским
acc.	Быко́вского	Быко́вскую	Быко́вских
instr.	Быко́вским	Быко́вской(ою)	Быко́вскими
prep.	Быко́вском	Быко́вской	Быко́вских

II. ADJECTIVES

HARD DECLENSION: ЫЙ, АЯ, ОЕ, ЫЕ   *e.g.* **ста́рый old**

singular

	m.	*f.*	*n.*	*plural (all genders)*
nom.	ста́рЫЙ	ста́рАЯ	ста́рОЕ	ста́рЫЕ
gen.	ста́рОГО	ста́рОЙ	ста́рОГО	ста́рЫХ
dat.	ста́рОМУ	ста́рОЙ	ста́рОМУ	ста́рЫМ
acc.	ста́рЫЙ(ОГО)	ста́рУЮ	ста́рОЕ	ста́рЫЕ(ЫХ)
instr.	ста́рЫМ	ста́рОЙ(ОЮ)	ста́рЫМ	ста́рЫМИ
prep.	ста́рОМ	ста́рОЙ	ста́рОМ	ста́рЫХ

ОЙ, А́Я, О́Е, Ы́Е   *e.g.* **молодо́й young**

	m.	*f.*	*n.*	*pl.*
nom.	молодо́Й	молода́Я	молодо́Е	молоды́Е
gen.	молодо́ГО	молодо́Й	молодо́ГО	молоды́Х
dat.	молодо́МУ	молодо́Й	молодо́МУ	молоды́М
acc.	молодо́Й(ОГО)	молоду́Ю	молодо́Е	молоды́Е(Ы́Х)
instr.	молоды́М	молодо́Й(ОЮ)	молоды́М	молоды́МИ
prep.	молодо́М	молодо́Й	молодо́М	молоды́Х

D*

SOFT DECLENSION: Н+ИЙ, Н+ЯЯ, Н+ЕЕ, Н+ИЕ　*e.g.* **си́ний blue**

singular

	m.	*f.*	*n.*	*plural (all genders)*
nom.	си́нИЙ	си́нЯЯ	си́нЕЕ	си́нИЕ
gen.	си́нЕГО	си́нЕЙ	си́нЕГО	си́нИХ
dat.	си́нЕМУ	си́нЕЙ	си́нЕМУ	си́нИМ
acc.	си́нИЙ(ЕГО)	си́нЮЮ	си́нЕЕ	си́нИЕ(ИХ)
instr.	си́нИМ	си́нЕЙ(ЕЮ)	си́нИМ	си́нИМИ
prep.	си́нЕМ	си́нЕЙ	си́нЕМ	си́нИХ

NOTE:

Ending **ОЙ, АЯ, ОЕ, ЫЕ** or **ИЕ** always stressed, *e.g.* молодо́й, морско́й;
Ending **ЫЙ, ИЙ**, etc., never stressed on the last syllable, *e.g.* ста́рый, кра́йний.

MIXED DECLENSION: Г, К, Х+ИЙ, АЯ, ОЕ, ИЕ

singular

	high *m.*	*f.*	*n.*	*plural (all genders)*
nom.	высо́кИЙ	высо́кАЯ	высо́кОЕ	высо́кИЕ
gen.	высо́кОГО	высо́кОЙ	высо́кОГО	высо́кИХ
dat.	высо́кОМУ	высо́кОЙ	высо́кОМУ	высо́кИМ
acc.	высо́кИЙ(ОГО)	высо́кУЮ	высо́кОЕ	высо́кИЕ(ИХ)
instr.	высо́кИМ	высо́кОЙ(ОЮ)	высо́кИМ	высо́кИМИ
prep.	высо́кОМ	высо́кОЙ	высо́кОМ	высо́кИХ

Ж, Ч, Ш, Щ+ИЙ, АЯ, ЕЕ, ИЕ

	good			
nom.	хоро́шИЙ	хоро́шАЯ	хоро́шЕЕ	хоро́шИЕ
gen.	хоро́шЕГО	хоро́шЕЙ	хоро́шЕГО	хоро́шИХ
dat.	хоро́шЕМУ	хоро́шЕЙ	хоро́шЕМУ	хоро́шИМ
acc.	хоро́шИЙ(ЕГО)	хоро́шУЮ	хоро́шЕЕ	хоро́шИЕ(ИХ)
instr.	хоро́шИМ	хоро́шЕЙ(ЕЮ)	хоро́шИМ	хоро́шИМИ
prep.	хоро́шЕМ	хоро́шЕЙ	хоро́шЕМ	хоро́шИХ

Г, К, Х, Ж, Ч, Ш, Щ+ОЙ, А́Я, о́Е, ЙЕ

	marine			
nom.	морско́Й	морска́Я	морско́Е	морскИ́Е
gen.	морско́ГО	морско́Й	морско́ГО	морскИ́Х
dat.	морско́МУ	морско́Й	морско́МУ	морскИ́М
acc.	морско́Й(ОГО)	морскУ́Ю	морско́Е	морскИ́Е(И́Х)
instr.	морскИ́М	морско́Й(О́Ю)	морскИ́М	морскИ́МИ
prep.	морско́М	морско́Й	морско́М	морскИ́Х

III. PRONOUNS

1. Personal

singular

nom.	я *I*	ты *thou, you*	он, оно *he, it*	она *she, it*
gen.	меня	тебя	его	её
dat.	мне	тебе	ему	ей
acc.	меня	тебя	его	её
instr.	мной, мною	тобой, тобою	им	ей, ею
prep.	мне	тебе	нём	ней

plural

nom.	мы *we*	вы *you*	они *they*
gen.	нас	вас	их
dat.	нам	вам	им
acc.	нас	вас	их
instr.	нами	вами	ими
prep.	нас	вас	них

2. Relative and Interrogative Pronouns

nom.	кто *who*	что *what*
gen.	кого	чего
dat.	кому	чему
acc.	кого	что
instr.	кем	чем
prep.	ком	чём

3. Reflexive Pronoun

(one)self

nom.	----	*acc.*	себя
gen.	себя	*instr.*	собой, собою
dat.	себе	*prep.*	себе

4. Emphatic Pronouns

	singular: self			plural (all genders)
	m.	*n.*	*f.*	selves
nom.	сам	само	сама	сами
gen.	самого		самой	самих
dat.	самому		самой	самим
acc.	самого, сам		самое	самих
instr.	самим		самой, самою	самими
prep.	самой		самой	самих

5. DEMONSTRATIVE PRONOUNS

	singular: this			*plural (all genders)*
	m.	*n.*	*f.*	these
nom.	э́тот	э́то	э́та	э́ти
gen.	э́того		э́той	э́тих
dat.	э́тому		э́той	э́тим
acc.	*like nom. or gen.*		э́ту	*like nom. or gen.*
instr.	э́тим		э́той, э́тою	э́тими
prep.	э́том		э́той	э́тих

	singular: that			*plural (all genders)*
	m.	*n.*	*f.*	those
nom.	тот	то	та	те
gen.	того́		той	тех
dat.	тому́		той	тем
acc.	*like nom. or gen.*		ту	*like nom. or gen.*
instr.	тем		той, то́ю	те́ми
prep.	том		той	тех

6. POSSESSIVE PRONOUNS   *e.g.* мой, моя́, моё, мои́   **my**

	m.	*n.*	*f.*	*plural (all genders)*
nom.	мой	моё	моя́	мои́
gen.	моего́		мое́й	мои́х
dat.	моему́		мое́й	мои́м
acc.	*like nom. or gen.*		мою́	*like nom. or gen.*
instr.	мои́м		мое́й, мое́ю	мои́ми
prep.	моём		мое́й	мои́х

NOTE:

Like мой are also declined твой- thy, your, and the reflexive possessive свой- my own, your own, his own, etc.

e.g. наш, на́ша, на́ше, на́ши   **our**

	m.	*n.*	*f.*	*plural (all genders)*
nom.	наш	на́ше	на́ша	на́ши
gen.	на́шего		на́шей	на́ших
dat.	на́шему		на́шей	на́шим
acc.	*like nom. or gen.*		на́шу	*like nom. or gen.*
instr.	на́шим		на́шей, на́шею	на́шими
prep.	на́шем		на́шей	на́ших

NOTE:

Like наш is also declined ваш- your. The third person possessive pronoun его- his or its, её- her, hers, их- their, theirs are NOT declined.

IV. NUMERALS

CARDINAL	ORDINAL
1. оди́н, одна́, одно́	пе́рвый -ая -ое first
2. два, две, два	второ́й -а́я -о́е second
3. три	тре́тий, тре́тья, тре́тье third
4. четы́ре	четвёртый, ая, -ое fourth
5. пять	пя́тый, -ая, -ое fifth
6. шесть	шесто́й, -а́я, -о́е sixth
7. семь	седьмо́й, -а́я, -о́е seventh
8. во́семь	восьмо́й, -а́я, -о́е eighth
9. де́вять	девя́тый, -ая, -ое ninth
10. де́сять	деся́тый, -ая, -ое tenth
11. оди́ннадцать	оди́ннадцатый, -ая, -ое eleventh
12. двена́дцать	двена́дцатый, -ая, -ое twelfth
13. трина́дцать	трина́дцатый, -ая, -ое thirteenth
14. четы́рнадцать	четы́рнадцатый, -ая, -ое fourteenth
15. пятна́дцать	пятна́дцатый, -ая, -ое fifteenth
16. шестна́дцать	шестна́дцатый, -ая, -ое sixteenth
17. семна́дцать	семна́дцатый, -ая, -ое seventeenth
18. восемна́дцать	восемна́дцатый, -ая, -ое eighteenth
19. девятна́дцать	девятна́дцатый, -ая, -ое nineteenth
20. два́дцать	двадца́тый, -ая, -ое twentieth
21. два́дцать оди́н, одна́, одно́	два́дцать пе́рвый, -ая, -ое twenty-first
22. два́дцать два, две, два	два́дцать второ́й, -а́я, -о́е twenty-second
23. два́дцать три	два́дцать тре́тий, -ья, -ье twenty-third
24. два́дцать четы́ре	два́дцать четвёртый, -ая, -ое twenty-fourth
30. три́дцать	тридца́тый, -ая, -ое thirtieth
40. со́рок	сороково́й, -а́я, -о́е fortieth
50. пятьдеся́т	пятидеся́тый, -ая, -ое fiftieth
60. шестьдеся́т	шестидеся́тый, -ая, -ое sixtieth
70. се́мьдесят	семидеся́тый, -ая, -ое seventieth
80. во́семьдесят	восьмидеся́тый, -ая, -ое eightieth
90. девяно́сто	девяно́стый, -ая, -ое ninetieth
100. сто	со́тый, -ая, -ое hundredth
101. сто оди́н, одна́, одно́	сто пе́рвый, -ая, -ое 101st
142. сто со́рок два, две, два	сто со́рок второ́й, -а́я, -о́е 142nd
200. две́сти	двухсо́тый, -ая, -ое 200th
300. три́ста	трёхсо́тый, -ая, -ое 300th
400. четы́реста	четырёхсо́тый, -ая, -ое 400th
500. пятьсо́т	пятисо́тый, -ая, -ое 500th
600. шестьсо́т	шестисо́тый, -ая, -ое 600th
700. семьсо́т	семисо́тый, -ая, -ое 700th
800. восемьсо́т	восьмисо́тый, -ая, -ое 800th
900. девятьсо́т	девятисо́тый, -ая, -ое 900th
1000. ты́сяча (ты́ща)	ты́сячный, -ая, -ое thousandth

CARDINAL	ORDINAL
2000. две тысячи	двухтысячный, -ая, -ое 2000th
10 000. десять тысяч	десятитысячный, -ая, -ое 10,000th
1 000 000. миллион	миллионный, -ая, -ое millionth

FRACTIONS (Дроби)

½	одна вторая, половина	
⅓	одна третья, треть	
¼	одна четвёртая, четверть	
1/5th	одна пятая	
1/10th = 0,1	одна десятая	нуль целых одна десятая 0,1
1/100th = 0,01	одна сотая	нуль целых одна сотая 0,01
1/0000th = 0,001	одна тысячная	нуль целых одна тысячная 0,001
⅔	две третьих, две трети	
¾	три четвёртых, три четверти	
⅞	семь восьмых	
0,45	нуль целых, сорок пять сотых	

DECLENSION OF NUMERALS

1 один

	m.	*n.*	*f.*	*plural (all genders)*
nom.	один	одно	одна	одни
gen.	одного		одной	одних
dat.	одному		одной	одним

	m.	*n.*		
acc.	один (одног)о	одно	одну	*like nom. or gen.*
instr.	одним		одной (ою)	одними
prep.	одном		одной	одних

2 два

	m. & n.	*f.*
nom.	два	две
gen.	двух	двух
dat.	двум	двум
acc.	*like nom. or gen.*	
instr.	двумя	
prep.	двух	

	3 три	**4 четы́ре**	**5 пять**
nom.	три	четы́ре	пять
gen.	трёх	четырёх	пяти́
dat.	трём	четырём	пяти́
acc.	*like nom. or gen.*		пять
instr.	тремя́	четырьмя́	пятью́
prep.	трёх	четырёх	пяти́

	40 со́рок	**90 девяно́сто**	**100 сто**
nom.	со́рок	девяно́сто	сто
gen.	сорока́	девяно́ста	ста
dat.	сорока́	девяно́ста	ста
acc.	со́рок	девяно́сто	сто
instr.	сорока́	девяно́ста	ста
prep.	сорока́	девяно́ста	ста

	200 две́сти	**300 три́ста**	**500 пятьсо́т**	**800 восемьсо́т**
nom.	две́сти	три́ста	пятьсо́т	восемьсо́т
gen.	двухсо́т	трёхсо́т	пятисо́т	восьмисо́т
dat.	двумста́м	трёмста́м	пятиста́м	восьмиста́м
acc.	две́сти	три́ста	пятьсо́т	восемьсо́т
instr.	двумяста́ми	тремяста́ми	пятьюста́ми	восьмьюста́ми
prep.	двухста́х	трёхста́х	пятиста́х	восьмиста́х

NOTE:

In compound cardinal numerals (e.g. 23, 2036) each of the numerals is declined.

	23	**2036**
nom.	два́дцать три	две ты́сячи три́дцать шесть
gen.	два́дцати трёх	двух ты́сяч тридцати́ шести́
dat.	двадцати́ трём	двум ты́сячам тридцати́ шести́
acc.	два́дцать три	две ты́сячи тридца́ть шесть
instr.	двадцатью́ тремя́	двумя́ ты́сячами тридцатью́ шестью́
prep.	двадцати́ трёх	двух ты́сячах тридцати́ шести́

V. PREPOSITIONS AND ADVERBS

ALWAYS GOVERNING THE SAME CASE

Genitive (only)

без (бе́зо) without без това́рища
близ near, in the vicinity близ фа́брики
ввиду́ because of ввиду́ того́
вдоль along вдоль реки́
вме́сто instead вме́сто меня́
вне outside, beyond вне шко́лы, вне до́ма
внутри́ inside of, within внутри́ я́щика
во́зле near во́зле стены́
вокру́г around *& adv.* round вокру́г све́та
вро́де like, such as вро́де га́за
для for для сы́на
до up to до до́ма
из (и́зо) out of, from из го́рода
из-за from behind, because of из-за угла́, из-за бра́та
из-под from below, from under из-под горы́
кро́ме besides, aside, from, except кро́ме вас
ми́мо past, by ми́мо мо́ста
о́коло near, nearby о́коло фа́брики
от (ото) from от Москвы́, от до́ма
по́дле beside, alongside of по́дле го́рода
позади́ behind, in back of позади́ по́езда
поперёк across поперёк го́рла
по́сле after по́сле обе́да
посреди́ in the middle of, among посреди́ ко́мнаты
пре́жде before пре́жде вас
про́тив against про́тив нас
ра́ди for, for the sake of ра́ди меня́
сверх besides, in excess сверх пла́на
среди́ among, amongst, in the middle среди́ гор
у near, at, at the house of, possession у до́ма

Also governing the genitive case:

в продолже́ние during, throughout в продолжение неде́ли
в тече́ние during в тече́ние го́да
всле́дствие in consequence of, owing to всле́дствие боле́зни

Dative (only)

благодаря́ thanks to благодаря́ профе́ссору
вопреки́ contrary to вопреки́ нау́ке
к (ко) toward, to к тео́рии

подобно   like, similarly to   подобно явлению
пропорционально   proportional to   пропорционально количеству
согласно   according to, in agreement with   согласно закону

Accusative (only)

про   about, concerning   про статью
сквозь   through (*in the middle of*)   сквозь дым, сквозь занавеску
через (чрез)   through, across   через реку, через улицу

Instrumental (only)

между (меж)   between   между горами,
над (надо)   above, over   над столом, над городом
перед (пред, предо)   перед домом, передо мной,
       пред товарищем, предо мной

Prepositional (only)

при   at, near, during   при университете, при горении

Governing Two Cases

в (во)

with accusative	*with prepositional*
into (*indicating motion*)	in, within (*no motion*)
в дом	в доме

за

with accusative	*with instrumental*
toward, after, behind, for (*motion*)	behind, beyond (*location*)
за дом	за городом

на

with accusative	*with prepositional*
on, onto (*motion*)	on (*location*)
на улицу, на фабрику	на улице, на фабрике
на море	на море

о (об, обо)

with accusative	*with prepositional*
against, along (*motion*)	about, concerning
о камень, об угол	о Москве

под (подо)

with accusative	*with instrumental*
under (*motion*)	under (*location*)
под мост, под дом	под мостом, под домом

Governing Three Cases

по

with dative	*with prepositional*
on, along, according	after
по у́лице, по го́роду	по прие́зде, по возвраще́нии
with accusative (rare)	
for (*indicating purpose*)	
по го́рло, по коле́но	

с (со)

with genitive	*with instrumental*
from, off	with, by means of
с кни́ги, с до́ма,	с кни́гой, с това́рищем
с меня́	
with accusative (rare)	
as	
с го́ру, с дом,	

PREPOSITIONS IN EXPRESSIONS OF TIME

в	*acc.*	в три часа́ at three o'clock
в	*acc.*	в год in a year, per year
		в секу́нду in one second, per second
в	*acc.*	в пя́тницу on Friday
в	*prep.*	в январе́ in January
		в э́том году́ in this year
от – до	*gen. – gen.*	я рабо́тал от пяти́ до шести́ часо́в утра́.
с – до	*gen. – gen.*	я рабо́тал с утра́ до ве́чера
из – в	*gen. – acc.*	я жил в Москве́ из го́да в год
с – на	*gen. – acc.*	температу́ра меня́лась с дня на́ день

VI. PREFIXES (Prepositional)

A. USED WITH VERBS

БЕЗ, БЕС   without, less, dis, un, de, a
    (ОБЕЗ, ОБЕС)   обезво́живать/обезво́дить   dehydrate

В, ВО   in, into, to
    входи́ть/войти́   enter
    включа́ть/включи́ть   insert, include

ВОЗ, ВЗ, ВЗО, ВОС, ВС   motion upward, up, re, ex, e
    возника́ть   arise, spring up
    восходи́ть   arise

ВЫ   motion out of a place, from, e, ex
      выходи́ть/вы́йти   go out, exit
      выделя́ть/вы́делить   single out, mark out

ДО   up to completion; action carried to a fixed limit, till
      дополня́ть/допо́лнить   add
      допуска́ть/допусти́ть   admit

ЗА   starting, turning on (*trans.*)
      заводи́ть/завести́   wind up, start
      загора́ться/загоре́ться   catch fire

ИЗ (ИС)   out, from
      избира́ть/избра́ть   pick out, elect
      извлека́ть/извле́чь   extract

НА   on, upon, satiation
      набира́ть/набра́ть   gather, collect
      нака́пливать/накопи́ть   accumulate

НАД (НАДО)   over, above, super
      надпи́сывать/надписа́ть   superscribe, inscribe

О (ОБ, ОБО)   motion around and about
      обвола́кивать/обволо́чь   envelop
      объединя́ть/объедини́ть   combine, unite, consolidate

ОТ (ОТО)   motion away, from
      отводи́ть/отвести́   take aside, remove
      отделя́ть/отдели́ть   separate, disjoin

ПЕРЕ   over, across, repetition
      переполня́ть/перепо́лнить   overfill
      переходи́ть/перейти́   get across
      перечисля́ть/перечи́слить   enumerate, mention

ПО   completion in a casual or leisurely manner
      сиде́ть/посиде́ть   sit

ПОД   motion up and under
      поднима́ть/подня́ть   raise up

ПРЕ   over, across
      превыша́ть/превы́сить   exceed

ПРЕД   fore, before, pre
      предска́зывать/предсказа́ть   predict, forecast
      предусма́тривать/предусмотре́ть   foresee, envisage

ПРИ   arrival, approach, addition
      приближа́ться/прибли́зиться   approach, near
      придава́ть/прида́ть   add

ПРО   motion and action through
      проника́ть/прони́кнуть   penetrate
      просве́чивать/просвети́ть   examine with X-rays

ПРОТИВО   opposite, counter
      противопоставля́ть/противопоста́вить   oppose, contrast

РАЗ (РАС)   dis, un, dispersion, division
      разъединя́ть/разъедини́ть   separate, disconnect
      распределя́ть/распредели́ть   distribute, allocate

С (СО)   from, off, completion of action
      сде́лать/де́лать   do, make
      сжига́ть/сжечь   burn

У   motion away, removal
      уезжа́ть/уе́хать   go away, depart
      устраня́ть/устрани́ть   remove, eliminate

B. USED WITH NOUNS AND ADJECTIVES

БЕЗ, БЕС   withoutless, minus, un, in, non
      безды́мный   smokeless
      безопа́сность   safety, security
      бесполе́зный   useless
      безразли́чный   indifferent

ВЗАИМО   inter, mutual, co
      взаимоде́йствие   interaction, co-operation
      взаимопо́мощь   mutual assistance

ВНЕ   ex, extra, outside
      вне́шний   outward, external

ВНУТРИ́   intra, inside
      внутриа́томный   intra-atomic
      внутрия́дерный   intra-nuclear

ВСЕ   omni, pan, all, wide
      всевозмо́жный   all possible
      всенаро́дный   nation-wide
      всесою́зный   all union

ДВУ (ДВУХ)   bi, di, two, double, duplex, twin
      двувале́нтный   bivalent, divalent
      двуха́томный   diatomic
      двухме́рный   two-dimensional

ДЕ   de, des, dis
      деформа́ция   deformation

ЕДИНО   mono, uni
      единоду́шный   unanimous

ЕЖЕ   every
      ежедне́вный   everyday, daily
      еженеде́льный   weekly

МЕЖДУ, МЕЖ   inter, between
      междунаро́дный   international
      межплане́тный   interplanetary

МНÓГО   poly, multi, many
     многокрáтный   multiple
     многообрáзие   diversity

НАИ   the most
     наимéньший   smallest

НЕ   un, in, non, mis, dis, less
     невероя́тный   incredible
     невесóмый   unponderable, weightless
     незначи́тельный   unimportant, insignificant

НИЗ, НИЗКО   low
     низко-вóльтный   low-voltage
     низко-калори́йный   low-calorie

ОДНО   one, mono, uni, single
     одновалéнтный   monovalent

ПОЛИ   poly, many
     полимéр   polymer
     политехни́ческий   polytechnic

ПОЛУ, ПОЛ   semi, demi, half, hemi
     полупроводни́к   semiconductor
     полушáрие   hemisphere

ПСЕВДО   pseudo, pseud
     псевдо-кислотá   pseudo acid

РАЗНО   hetero, different, diverse
     рáзница   difference
     разнообрáзный   different

САМО   self, auto
     самолёт   aeroplane
     самопроизвóльный   spontaneous

СВЕРХ   super, ultra, above, over
     сверхпроводни́к   superconductor

СЕМИ   hepta, seven
     семилéтний   seven-year, septennial
     семиугóльник   heptagon

ТЕРМО   thermo
     термóметр   thermometer
     термоя́дерный   thermonuclear

УГЛЕ   carbon
     углекислотá   carbonic acid
     углерóд   carbon

ФИТО, ФИТ   phyto, phyt, plant
     фитохрóм   phytochrome

ЭПИ   epi
     эпизóд   episode

VII. VERBS

1ST CONJUGATION

Imperfective aspect   **Perfective aspect**

I. INFINITIVE

читáть   to read, be reading   прочитáть   to have read

II. INDICATIVE

Present

I read, I am reading, do read
я читáЮ
ты читáЕШЬ
он, она, оно читáЕТ
мы читáЕМ
вы читáЕТЕ
они́ читáЮТ

Past

I read, I was reading, used to read   I have read, read, did read
читáл, ла, ло   прочитáл, ла, ло
  читáли   прочитáли

Future

I shall read, be reading   I shall have read, shall read
я бýду ⎫   я прочитáЮ
ты бýдешь ⎪   ты прочитáЕШЬ
он, она́, оно́ бýдет ⎬ читáть   он, она́, оно́ прочитáЕТ
мы бýдем ⎪   мы прочитáЕМ
вы бýдете ⎪   вы прочитáЕТЕ
они́ бýдут ⎭   они́ прочитáЮТ

III. SUBJUNCTIVE (CONDITIONAL)

Like past + бы *or* б
I should read, be reading   I should have read
читáл бы, ла, ло бы (б)   прочитáл бы, ла, ло бы (б)
  читáли бы (б)   прочитáли бы (б)

IV. IMPERATIVE

2 pers.	читáй! read читáйте!	прочитáй! read it прочитáйте! through	
3 pers.	пусть он читáет! let him read пусть онú читáют! let them read	пусть он прочитáет! let him read (through) пусть онú прочитáют! let them read (through)	
1 pers. pl.	————	прочитáем! let us read (through)	

V. PARTICIPLES

Active

Present

читáющий, -ая, -ее, -ие
who is reading

————

Past

читáвший, -ая, -ее, -ие
who was reading

прочитáвший, -ая, -ее, -ие
who has read

Passive

Present

читáемый, -ая, -ое, -ые which is
being read
sh. читáем

————

Past tense

чúтанный, -ая, -ое, -ые which
was being read
sh. чúтан

прочúтанный, -ая, -ое, -ые
which has been read
sh. прочúтан

VI. ADVERBIAL PARTICIPLES (GERUNDS)

Present

читáя reading, while reading

————

Past

читáв *or* читáвши
while I was reading

прочитáв *or* прочитáвши
having read

2ND CONJUGATION

Imperfective aspect   **Perfective aspect**

I. INFINITIVE

стро́ить   to build, be building   постро́ить   to have built

II. INDICATIVE

Present

I build, am building, do build
я стро́Ю
ты стро́ИШЬ
он, она́, оно́ стро́ИТ
мы стро́ИМ
вы стро́ИТЕ
они́ стро́ЯТ

Past

I built, was building, used to build   I have built, built, did build
стро́ил, ла, ло   постро́ил, ла ло
   стро́или   постро́или

Future

I shall build, be building   I shall have built, shall build
я бу́ду   Я постро́Ю
ты бу́дешь   ты постро́ИШЬ
он, она́, оно́ бу́дет   он, она́, оно́ постро́ИТ
мы бу́дем ⎬ стро́ить   мы постро́ИМ
вы бу́дете   вы постро́ИТЕ
они́ бу́дут   они́ постро́ЯТ

III. SUBJUNCTIVE (CONDITIONAL)

Like past + бы *or* б
I should build, be building   I should have built
стро́ил бы, ла, ло (б)   постро́ил, ла, ло бы (б)
   стро́или бы   постро́или бы (б)

IV. IMPERATIVE

2 pers.   стро́й! build   постро́й! built it completely
     стро́йте!   постро́йте!

3 pers.	пусть он стро́ит! let him build.	пусть он постро́ит! let him build
	пусть они́ стро́ят! let them build	пусть они́ постро́ят! let them build
1 pers.	———————	постро́им! let us build

V. Participles

Active

Present

стро́ящий, -ая, -ее, -ие
who is building

Past

стро́ивший, -ая, -ее, -ие
who was building

постро́ивший, -ая, -ее, -ие
who has built

Passive

Present

стро́имый, -ая, -ое, -ые
sh. стро́им   which is being built

Past

стро́енный, -ая, -ое, -ые
sh. стро́ен   which was being built

постро́енный, оая, -ое, -ые
sh. постро́ен   which has been built

VI. Adverbial Participles (Gerunds)

Present

стро́я   building, while building

———————

Past

стро́ив *or* стро́ивши
while building

постро́ив *or* постро́ивши
having built

APPENDIX II

Common Abbreviations

а ампе́р ampere
Å ангстре́м angstrom unit (10^{-10}m)
абс. абсолю́тный absolute
ав ампе́р-вито́к ampere-turn
авг. а́вгуст August
авт. а́втор author
акад. акаде́мик academician, member of the academy
ам. амери́к. америка́нский American
ам.п. америка́нский пате́нт American patent
АН Акаде́мия нау́к Academy of Sciences
англ. анг. англи́йский English
анг.п. англи́йский пате́нт English patent
апр. апре́ль April
археол. археологи́ческий archaeological
арх. архи́в, архи́вный archives
а·сек ампе́р-секу́нда ampere-second
астрон. астрономи́ческий astronomical
ат атмосфе́ра механи́ческая pressure of $1\text{kg}/\text{cm}^2$, atmosphere
ата атмосфе́ра абсолю́тная absolute pressure in atmospheres
ат.в. а́томный вес atomic weight
атм атмосфе́ра физи́ческая pressure equivalent to 760 mm of Hg
атм. атмосфе́рный atmospheric
а-ч, а·ч ампе́р-час ampere-hour
б бар bar
б. бы́вший former
Б Бомэ́ degrees Baumé, (density unit)
б-ка библиоте́ка library
Б.т.е. Брита́нская теплова́я едини́ца B.t.u. British thermal unit
букв. буква́льно literally, word for word, verbatim
бум. бума́га, бума́жный paper
б.ч. бо́льшей ча́стью mainly
бюлл. бюллете́нь bulletin
в вольт volt
в. вес weight
в. вв. век, века́ century
в. враще́ние rotation
В. вост. восто́к, восто́чный East, Eastern
В.А. Вое́нная акаде́мия Military Academy
ва вольт-ампе́р volt-ampere
вб ве́бер weber
в.д. восто́чная долгота́ east longitude
вкл. включи́тельно inclusive, including
внтр. вну́тренний *a.* internal, inner, inside
вод. водяно́й *a.* water, aqueous
возд. возду́шный *a.* air

Всесоюз. Всесоюзный *a.* all Union, Soviet Union

вт ватт watt

вт·сек, вт-с ватт-секунда (джоуль) watt-second

вт·ч, *вт-ч* ватт-час watt-hour

в.т.ч. в том числе including

ВУАН Всеукраинская академия наук The Ukrainian Academy of Sciences

вуз высшее учебное заведение higher institute of learning, university, college

ВЧ высокочастотный *a.* high frequency

г грамм gram

г, гг. год, года year, years

г. гор. город town, city

г. гора mountain

га гектар hectare

гб Гильберт Gilbert

гвт гектоватт hectowatt

гвт-ч гектоватт-час hectowatt-hour

гл гектолитр hectolitre

г.л. обр. главным образом mainly

г-мол, моль грамм-молекула gram molecule

гм гектометр hectometer

гн генри henry

гос. государственный *a.* state

гпз гектопьеза hectopiezo-electric unit

гр. гражданин citizen

гр. группа group

гражд. гражданский civic, civil

г-р грамм-рентген gram roentgen

град градус degree

°C градус стоградусной шкалы °Centigrade

°K градус шкалы Кельвина °Kelvin

°R градус Реомюра °Reaumur

°F градус Фаренгейта °Fahrenheit

гс гаусс gauss

гц герц cycle per second

ДАН СССР доклады АН СССР Proceedings (reports) of the Academy of Sciences

д.б. должно быть probably

дб децибел decibel

дг дециграмм decigram

дек. декабрь December

дж джоуль joule

диам. диаметр diameter

дин дина dyne, unit of force

дкг декаграмм decagram

дкл декалитр decalitre

дкм декаметр decametre (10 metres)

$дл$ децили́тр decilitre
дл. длина́ length
$дм$ дециме́тр decimetre
$дм^2$ квадра́тный дециме́тр square decimetre
$дм^3$ куби́ческий дециме́тр cubic decimetre
$дм$ дюйм inch
доц. доце́нт lecturer, reader
д-р до́ктор doctor, Ph.D.
д-р. нау́к D.Sc.
др. друго́й, други́е other, others
ед. едини́ца unit
ёмк. ёмкость capacity, electrical capacitance
ж., жур. журна́л journal
ж.д. желе́зная доро́га railway
ж.-д. желе́зно-доро́жный *a.* railway
ЖОХ Журна́л о́бщей хи́мии Journal of General Chemistry
ЖРФХО Журнал ру́сского фи́зико-хими́ческого о́бщества Journal of the Russian Physical-Chemical Society
ЖТФ = ж. тех. физ. Журна́л техни́ческой фи́зики Journal of Technical Physics
ЖФХ = ж. физ. хим. Журна́л физи́ческой хи́мии Journal of Physical Chemistry
ЖФХО Журна́л фи́зико-хими́ческого о́бщества Journal of the Physical and Chemistry Society
ЖХО Журна́л хими́ческого о́бщества Journal of the Chemical Society
ЖХП = ж. хим. пром. Журна́л хи́мической промы́шленности Journal of Chemical Industry
ЖЭТФ Журна́л эксперимента́льной и теорети́ческой фи́зики Journal of Experimental and Theoretical Physics
з золотни́к unit of weight (4,266 g)
заключит. заключи́тельный *a.* final, closing, conclusive
З. *зап.* за́падный *a.* west
з.д. за́падная долгота́ west longitude
засл. деят. н.и.т. заслу́женный де́ятель нау́ки и те́хники Honoured Scientist
зоол. зоологи́ческий zoological
и др. и други́е and others
им. и́мени named after
ин-т институ́т institute
инж. инжене́р engineer
и пр. и про́чие and so on, and others
и.т.д. и так да́лее and so on
и.т.п. и тому́ подо́бное and so on, and the like
$к$ куло́н coulomb
к., коп. копе́йка kopeck
$ка$ килоампе́р kiloampere
$кал$ ма́лая кало́рия g calorie
КВ коро́ткие во́лны short waves

кв   киловóльт   kilovolt
кв   квадрáтный   *a.*   square
ква   киловóльт-ампéр   kilovolt-ampere
квт   киловáтт   kilowatt
квт.ч   киловáтт-час   kilowatt-hour
кв фт   квадрáтный фут   square foot
кг   килогрáмм-мáсса   kilogramme (unit of mass)
кгс.м   килогрáмм-метр; килограммомéтр   kilogramme-metre (unit of work)
кгс, кТ   килогрáмм-сила   kilogramme (unit of force)
кгц   килогéрц   kilohertz, kilocycles
кдж   килоджóуль   kilojoule
ккал   калóрия большáя   large calorie
кл   килолѝтр   kilolitre
к.л.   какóй лѝбо   anyone, some, any
ком   килоóм   kilo-ohm
км   километр   kilometre
км²   квадрáтный километр   square kilometre
кн.   книга   book
кн-во   книгоиздáтельство   publishing house
ком.   комитéт   committee
комис.   комиссия   commission
коэфф.   коэффициéнт   coffiecient
КП   коммунистѝческая пáртия   Communist Party
кпд   коэффициéнт полéзного дéйствия   efficiency
к-рый   котóрый   which
КСУ   комѝссия содéйствия учёным   Assistance Committee for Scientists
к-т   комитéт   committee
к-та   кислотá   acid
куб   кубѝческий   cubic
куб дм   кубѝческий дециметр   cubic decimetre
кэ   килоэ́рстед   kilo oersted
кюри   кюрѝ   Curie unit
Л   Ленингрáд   Leningrad
л   литр   litre
л.   лет   years
л   лот   unit of weight (12·8 g) in the Old Russian system
лк   люкс   lux
лк-сек, лк-с   люкс-секýнда   lux-second
лм   лю́мен   lumen
лм-с, лм-сек   лю́мен-секýнда   lumen-second
лм-ч   лю́мен-час   lumen-hour
лн   лѝния   line
л.с., Л.С.   лошадѝная сѝла   horse power
м   метр   metre
м, мк   микрóн   micron
М.   Москвá   Moscow
ма   миллиампéр   milliampere

макс. максима́льный maximum
мб миллиба́р millibar
м.б. мо́жет быть perhaps, maybe
мв милливо́льт millivolt
Мва мегаво́льт-ампе́р megavolt-ampere
мвт милливатт milliwatt
Мвт мегава́тт megawatt
Мвт-ч мега́ватт-час megawatt-hour
мг миллигра́мм milligramme
мгн миллиге́нри millihenry
Мом мего́м megohm
Мгц, мггц мегаге́рц megacycles
Мдж, мгдж мегаджо́уль megajoule
мин мину́та minute
мка микроампе́р microampere
мкв микрово́льт microvolt
мквт микрова́тт microwatt
мкгн микроге́нри microhenry
мкк микрокуло́н microcoulomb
мккюри микрокюри́ micro-Curie unit
мкмкф микромикрофара́да micromicrofarad
мком микро́м microhm
мкс ма́ксвел maxwell
мксек микросеку́нда microsecond
мкф микрофара́да microfarad
мкюри милликюри́ milli-Curie unit
млн. миллио́н million
млрд. миллиа́рд (1000 millions, U.S. billion)
мм миллиме́тр millimetre
мм² квадра́тный миллиме́тр square millimetre
мн-к многоуго́льник polygon
мн. др. мно́гое друго́е etc., and so on
мол. вес молекуля́рный вес molecular weight
мсб миллисти́льб millistilb
мсек миллисеку́нда millisecond
мф миллифо́т milliphot
Мэв миллио́н электро́н-вольт megaelectronvolt
МХТИ Моско́вский хи́мико-технологи́ческий институ́т Moscow Chemical-Technological Institute
МЭТИ Моско́вский эле́ктро-техни́ческий институ́т Moscow Electro-Technical Institute
наз. называ́ется, называ́емый called, so called
назв. назва́ние name
напр. наприме́р for example
нар. наро́дный national
наст. настоя́щий real, genuine, present
нач. нача́льник head, manager, chief
нек-рый не́который certain, some

неск.　не́сколько　several, few
н.-и.　нау́чно-иссле́довательский　research
н.ст.　но́вый стиль　new style (Gregorian) calendar (since 1918)
нт　нит　unit of brightness (light)
н.э.　на́шей э́ры　Anno Domini
о., оз　о́зеро　lake
об　оборо́т　revolution
об/мин　оборо́тов в мину́ту　revolutions per minute
обл.　о́бласть　region
общ.　о́бщий　common, general
о-во　о́бщество　society, association
огл.　оглавле́ние　heading, title
ок.　о́коло　about
окр.　о́круг　District
окт.　октя́брь　October
ом　ом　ohm
опубл.　опублико́ванный　published
отв.　отве́т　answer
отт.　о́ттиск　impression, imprint, copy
п. пат　пате́нт　patent
паг.　пагина́ция　pagination
пер.　перево́д, перево́дчик　translation, translator
пэ　пьéза　unit of pressure
п.н.　поря́дковый но́мер　ordinal number
попр.　попра́вленный　corrected
прибл.　приблизи́тельно　about, approximately
пуаз　пуаз　poise (unit of viscosity)
р.　река́　river
р., руб.　рубль　rouble
рис.　рису́нок　figure, drawing
р-н　райо́н　district, region
С., сев.　се́вер　north
с.　село́　village
сб.　сбо́рник　collection
сб　стильб　stilb
св　междунаро́дная свеча́　international candle (cd)
св-сек　свеча́-секу́нда　candle-second
СВЧ　Сверхвысо́кие часто́ты　ultra high frequencies
сг　сантигра́мм　centigramme
сек　секу́нда　second
след.　сле́дующий　following, next
см　сантиме́тр　centimetre
см.　смотри́　see *c.f.*, *vide*
собр.　собра́ние　collection
соотв.　соотве́тствующий　corresponding
соч.　сочине́ние　composition, paper, thesis, piece of writing
спец.　специа́льный　special
ср.　сравни́те　compare

ст. ста́нция station
ст. статья́ article
стер стера́диан steradian
стр. страни́ца page
с.ш. се́верная широта́ north latitude
т. то́нна ton
табл. табли́ца table
т.е. то есть that is
т., темп, темп-ра, т-ра температу́ра temperature
т.кип. температу́ра кипе́ния boiling point
т.пл. температу́ра плавле́ния melting point
т.к. так как so as, as, since
т.н. так называ́емый so called
т.о. таки́м о́бразом so that, in this manner, in such way
тыс. ты́сяча thousand
УВЧ ультравысо́кие частоты́ ultra frequencies
уд. уде́льный specific
уд. вес уде́льный вес specific gravity
УКВ ультракоро́ткие во́лны ultra-short waves
ун-т университе́т University
ур.м. у́ровень мо́ря sea level
ур-ние, ур-ие уравне́ние equation
УФН успе́хи физи́ческих нау́к Progress of Physics (periodical)
ф фара́да farad
ф фот phot
фев. февра́ль February
физ. физи́ческий physical
ф-ла фо́рмула formula
ф-сек фот-секу́нда phot-second
ф.ст фунт стерли́нгов pound sterling
ф-ция фу́нкция function
ф-час, ф-ч фот-час phot-hour
хим. хими́ческий *а.* chemical
хим. сост. хими́ческий соста́в chemical composition
х.ч. хими́чески чи́стый chemically pure
ц це́нтнер centner (100 kg)
°Ц гра́дусы Це́льсия degrees Celsius (centigrade)
ч. часть part
ч час hour
э Э́рстед oersted
Эрг Эрг erg
Э.Д.С. Эдс электродви́жущая си́ла electromotive force
экз. экземпля́р copy
Ю. юг south
Южн. ю́жный *а.* southern
ю.ш. ю́жная широта́ south latitude

APPENDIX III

Bibliography

A. READERS

(a) SCIENTIFIC

Science Russian Course
Maximilian Furman
London, University Tutorial Press Ltd., 1949

Russian for the Scientist
J. Turkevitch and L. B. Turkevitch
D. van Nostrand
New Jersey, Toronto, New York, London, 1959

Russian for Scientists
Dennis Ward
University of London Press Ltd., London, 1960

Translation from Russian for Scientists
C. R. Buxton and H. S. Jackson
Blackie and Son, London and Glasgow, 1960

A Russian Scientific Reader
E. T. D. Warne
George Allen & Unwin, London, 1964

Scientific Russian
Perry James
Interscience, New York, London, 1950; 2nd edition, 1961

Chemical Russian Self-Taught
J. W. Perry
Journal of Chemical Education, 1948

Scientific Russian Guide
M. A. Emery and S. A. Emery
McGraw-Hill, New York, Toronto, London, 1961

Język rosyjski dla Technikow
M. Czyrko
Warszawa, 1958

Teksty Techniczne do nauki języka rosyjskieg. Chemja
M. Czyrko
P.W.T. Warszawa, 1958

Ibid. Elektryka
M. Czyrko
P.W.T. Warszawa, 1958

Ibid. Mechanika
Z. Sawicki
P.W.T. Warszawa, 1958

Russian popular science texts
  Maths., Physics, Astronomy, Chemistry
Edit. V. D. Korolyova
Foreign Lang. Publ. House Moscow.

Russian popular science texts
  Biology, Medicine
R. V. Grigorenko
Foreign Lang. Publ. House Moscow

Книга для чтения по физике
Н.М. Лариохина
МГУ Москва, 1961

Книга для чтения по химии
Е. А. Попова
МГУ Москва, 1961

Книга для чтения по математике
О. М. Аркадьева
МГУ Москва, 1961

Книга для чтения по геологии
Г. Н. Шишлова
МГУ Москва, 1961

Russian science reader
D. U. Cooper
Pergamon Press, 1964

(b) GENERAL

Essentials of Russian
A. V. Gronicka and H. Bates-Yakobson
Prentice Hall, Englewood Cliffs, N.J., 1958

Учебник русского языка
ч. I Фонетика и морфология
Учпедгиз Москва, 1957

Basic Russian
M. H. Fayer
Pitman, New York, Toronto, London, 1959

Учебник русского языка для нерусских
Н. Т. Хромецы А. П. Вейсман и П. М. Он щук
ч. I фонетика, морфология и основы синтаксиса
Изд. В.П.Ш. и АОН при ЦК. КПСС, Москва, 1959

B. DICTIONARIES AND ENCYCLOPAEDIAS

Университет Дружбы Народов
Лексический минимум
Москва, 1960

Словарь-минимум для чтения научной литературы на английском языке
Изд. Акад. Наук СССР Москва, 1959

Словарь наиболее употребительных слов английского, немецкого и французского языков
Ред. И. В. Рахманов
Гос. Изд. иностранных и национальных словарей Москва, 1960

A Basic Russian–English Vocabulary
P. Waddington
Methuen, London, 1962

A Russian–English Dictionary for the Foreign Student of Russian
B. A. Lapidus and S. V. Shevtsova
State Publ. House of Foreign and National Dictionaries. Moscow, 1960

Словарь русского языка (в 4х томах)
Ак. Наук СССР Москва, 1957–60

Словарь русского языка
С. И. Ожегов
изд. 4-е Москва, 1960

Русское литературное произношение и ударение
Р. И. Аванесов и С. И. Ожегов. Москва, 1959–61

Русско-английский словарь
А. И. Смирницкий и другие
изд. 3-е Москва, 1958

Малая Сов. Энциклопедия
3 издание Б.С.Э. Москва, 1958–60

Физический энциклопедический словарь (в 4 томах)
С. Э. Москва, Т. I, 1960; Т. III, 1963

Краткая химическая энциклопедия (в 4 томах)
С. Э. Москва, Т. I, 1961; Т. II, 1963

Краткая энциклопедия "Атомная энергия"
Б. С. Э. Москва, 1958

Русско-английский политехнический словарь
А. Н. Кондратов
Москва, 1948

Russian–English Technical and Chemical Dictionary
L. Ignatiev Callaham
New York, John Isley; London, Chapman and Hall, 1958

Russian–English Mathematical Vocabulary
J. Burlak and K. Brooke
Oliver & Boyd, London, 1963

Краткий политехнический словарь
Ю. А. Степанов гл. ред.
Москва, 1956

Wortschatzminimum für den Russischunterricht
Otto Hermenau
Berlin, 1960

Die Russischen verben
E. Daum and W. Schenk
Leipzig Enzyklopädie, 1963

Справочник по глагольному управлению
М. Я. Фёдоров и И. П. Крюкова
Учпедгиз, Москва, 1955

U.S. Air Force Project Rand
Glossary of Russian Physics
Santa Monica, Rand Corporation, 1960

Краткое пособие по переводу научно-технических текстов с русского языка на английский
М. Т. Циммерман
Москва, 1961